AMADEO LICÁNTROPO
EDAD
Hace 356 años le mordió un licántropo y se convirtió en uno de ellos.
PECULIARIDADES
Come siempre escalope con ketchup.
LE DISGUSTA
Los cazadores que disparan balas de plata y los dentistas
LE GUSTA
La música rock y las motos de gran cilindrada.
EDAD
44 años.
PECULIARIDADES
Callos en los dedos pequeños.
LE DISGUSTA
Los zapatos estrechos.
LE GUSTA
Las pantuflas de peluche.
PIECETE

TODOS MIS MONSTRUOS

THOMAS BREZINA

EL MISTERIO DEL TREN FANTASMA

ILUSTRACIONES DE PABLO TAMBUSCIO

sm

Primera edición: abril de 2011
Tercera edición: julio de 2014

Dirección editorial: Elsa Aguiar
Coordinación editorial: Gabriel Brandariz
Diseño de interior: Felipe Samper
Diseño de cubierta: Versus
Traducción: José Antonio Santiago-Tagle
Ilustraciones: Pablo Tambuscio

Título original: "Das Geheimnis der Grüen Geisterbahn"
Publicado por primera vez por Bertelsmann Verlag GmbH, München, 1994

Impresores, 2
Urbanización Prado del Espino
28660 Boadilla del Monte (Madrid)
www.grupo-sm.com

Atención al Cliente
Tel.: 902 121 323
Fax: 902 241 222
e-mail: clientes@grupo-sm.com

ISBN: 978-84-675-4409-1
Depósito legal: M-5599-2011
Impreso en la UE / Printed in EU

LA PUERTA DEL TREN FANTASMA,
QUE ESTABA VACÍO,
SE CERRÓ CON UN GOLPE SECO.
A MAX SE LE PARÓ EL CORAZÓN.
FUERA SONÓ UN CRUJIDO:
ALGUIEN HABÍA PUESTO LA PESADA ALDABA DE MADERA.

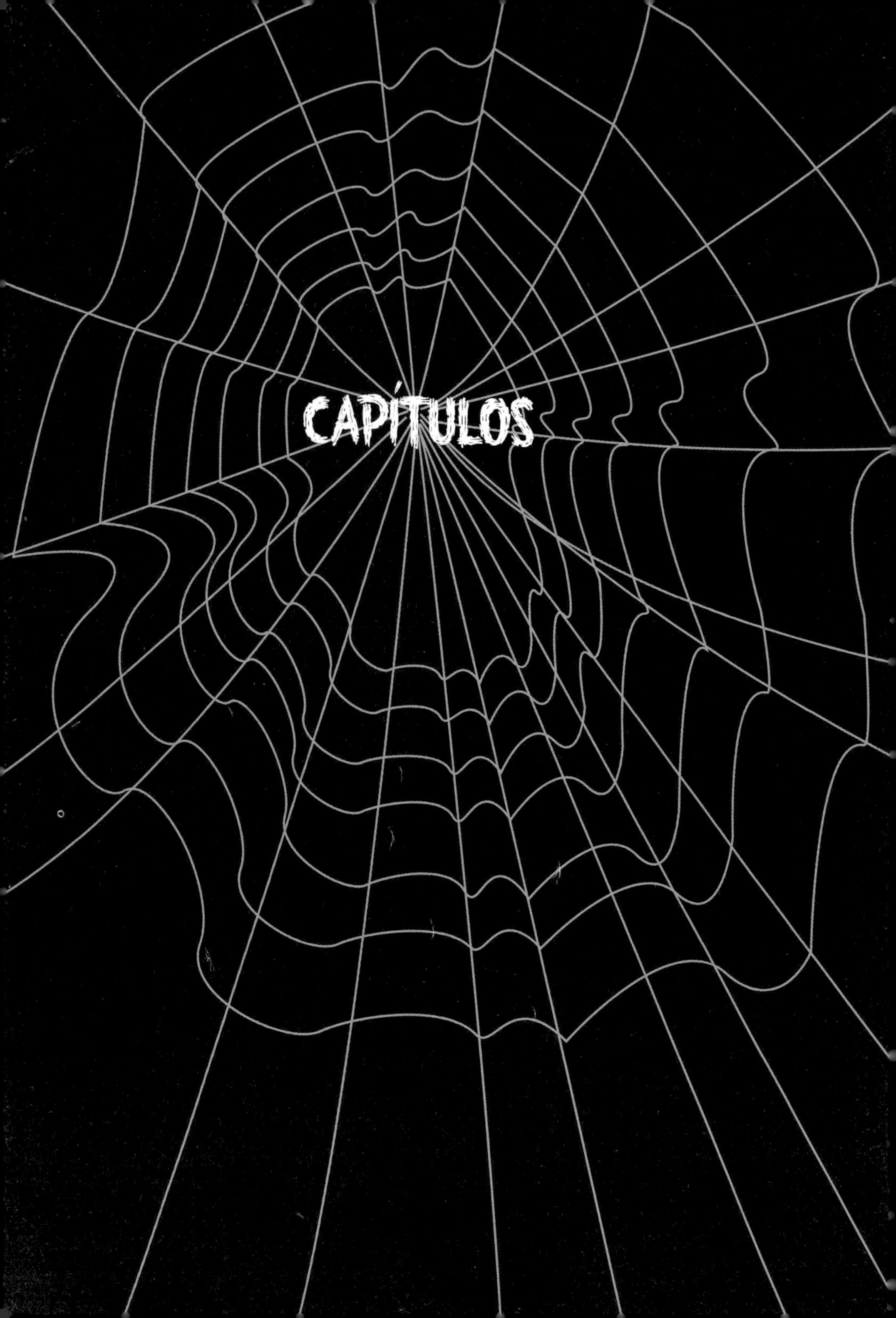
CAPÍTULOS

EL MISTERIO DEL TREN FANTASMA

TREN
FANTASMA
CERRADO

UNA APUESTA ESPELUZNANTE

El color verde chillón del viejo tren fantasma estaba sin lustre y desconchado, y del techo colgaban dos esqueletos grises que fijaban su mirada hueca en los paseantes. Los sonajeros de sus manos huesudas se mecían impotentes al viento. No tenían nada de espantoso: ¡Pero cómo iban a tenerlo ya! Si hacía un año que el verde tren fantasma estaba cerrado, y se lo habían llevado todo... Todas las entradas tenían tablones clavados y estaban cerradas con pesadas cadenas y candados. Los visitantes de la feria pasaban junto a la construcción sin hacerle caso. Y eso que el tren fantasma escondía un misterio. Un misterio grande, siniestro, que nadie podía imaginar.

Tampoco Max, cuando el domingo fue con Dola, su hermana mayor, a la feria. Dola le sacaba cuatro años y era lo peor. Aquel domingo había quedado en secreto con un chico de su clase. Se llamaba Egon, y a Dola le parecía «el tío más guay del mundo». Cuando se marchaba, sus padres insistieron en que se llevara también a Max. Dola se enfadó muchísimo.

–¡Siempre tengo que hacer de niñera! –refunfuñó. Cogida de la mano de Egon, caminaba sin prisas entre las casetas–. ¡Sígueme siempre a tres pasos; si no, te la ganas! –le reñía a su hermano.

Max dejó de oír sus incesantes regañinas. Se fijó con curiosidad en las atracciones de la feria, pues su padre le había dado dinero y estaba pensando en qué gastarlo.

Su mirada fue a parar, de casualidad, al verde tren fantasma y notó como si un rayo le sacudiera de los pies a la cabeza. Se frotó incrédulo los ojos. ¡Aquello... aquello no era posible!

Un pie… salía por la puerta de detrás
y saltaba de un lado a otro. Max se pellizcó el brazo,
pero no estaba soñando. Un pie…, por allí iba un pie
sin su dueño. De pronto, del tren fantasma salió disparada
una manaza verde, que intentaba atrapar al pie.

–¡Do… Do… Do… Dola! –gritó Max
tirándole a su hermana de la chaqueta.

Su hermana se volvió con gesto de fastidio.

–¿Qué te pasa, canijo? –le gritó a Max.

–A… a… allí, junto al tren fantasma. ¡Mira!

Dola volvió la cabeza y se encogió de hombros.

–¿Qué pasa? Allí, ¿qué? –resopló ella.

Max miró hacia la puerta y, espantado, abrió los ojos
como platos. ¡El pie solitario había desaparecido!
Tampoco veía la mano verde por ninguna parte.
Solo la puerta seguía un poco abierta…

–¡Allí había un pie…! –balbuceó Max.

–¡Estás mal de la azotea! –dijo Egon dándole al chico con el dedo en la frente–. ¡Tú alucinas, chaval!

Max se puso a temblar de rabia. ¡Lo había visto muy bien!

–Este canijo ve siempre fantasmas por todas partes –se burló Dola–. De noche siempre tiene encendida la luz de su habitación, y cuando hay tormenta, se va a dormir con mi madre. Cuando se queda solo en casa, hasta se encierra en el lavabo.

Egon se partía de la risa.

Max iba a reventar de cólera y luchaba por contener las lágrimas.

–¡No!… ¡Todo eso es mentira! –soltó, pero no sonó muy convincente.

–¡Apuesto a que este enano no se atreve a meterse en el tren fantasma abandonado!

Max notó que se le ponían de punta todos los pelos de la cabeza.

–¡Y apuesto a que no aguanta dentro ni media hora, porque antes se lo hace en los pantalones! –añadió Dola.

Egon meneó la cabeza entre risitas.

De buena gana, Max hubiera echado a correr, pero luego se habría enfadado más consigo mismo.

–¿Qué os apostáis a que me meto en el tren fantasma y me quedo dentro media hora? –exclamó desafiante.

–¿Qué nos apostamos? –preguntó Dola con una sonrisa burlona. De pronto, Max sintió un nudo en la garganta, pero de ningún modo quiso parecer cobarde.

–Si yo... me quedo dentro... me darás... ¡diez euros! –dijo entre jadeos. Estaba seguro de que Dola nunca pondría en juego tanto dinero. Pero se equivocó.

–¡Hecho! –respondió su hermana–. ¡Y si pierdes, me tendrás que dar tu videojuego nuevo! –y le tendió la mano a Max, pero el niño titubeó.

Egon se agachó hacia él y le siseó:

–¿Qué dices, llorón? ¿Te atreves o no?

No, Max no permitiría que le trataran así. Así que le dio la mano. La apuesta estaba hecha.

Max miró su reloj. Eran las cuatro y siete minutos. A las cuatro y treinta y siete podía volver a salir.

–¡Hasta luego, hermanito! –le gritó Dola mientras él se dirigía hacia la puerta abierta del tren fantasma.

–¡Qué bien lo has hecho! –susurró Egon–. Ahora por fin tendremos media hora de paz.

Max se volvió, rabioso, y gritó:

–¡No creáis que no sé que solo queréis daros el lote! –Dola y Egon se quedaron cortados.

–Qué, ¿ya se te ha ido la valentía? –le provocó la hermana mayor.

–¡No! –graznó Max, que de pronto se quedó sin voz.

Cogió una buena bocanada de aire
y se coló rápido como el rayo en la oscura construcción.
Al menos entraba un poco de luz por la puerta abierta.
Max iba a echar una ojeada por allí cuando,
detrás de él, la puerta se cerró con estrépito.
A Max se le paró el corazón. Fuera se oyó un rechinar:
habían echado el pesado cerrojo de madera.

¡HORROR!

El chico se volvió aterrado y oyó reír fuerte a Egon y Dola. Aporreó la puerta con los puños suplicando:

–¡No, no lo hagáis! ¡Abrid!

–Pero, hermanito, si lo que quiero es que ganes la apuesta y asegurarme de que no salgas antes de media hora –siseó Dola.

¡La muy víbora!

Max se apretó contra la pared del tren fantasma y se quedó mirando a la oscuridad. Un escalofrío le recorrió la espina dorsal como una araña helada. Lentamente, se dejó caer al suelo. Echó un vistazo a la esfera luminosa de su reloj y tragó saliva. ¡Solo había pasado un minuto!

«No tengas miedo», se dijo Max en voz baja. «No es más que una casa vacía. Aquí no hay nadie».

No había acabado de decirlo cuando algo áspero y frío le tocó el brazo. Max retrocedió espantado y dejó escapar un grito estridente.

–Hola, Frankesteinete, ¿eres tú? –preguntó una voz aguda a su lado.

Max se quedó allí como plantado y chilló hasta fallarle la voz.

–¡Iiiiiiiiiii! –le imitó la voz aguda.

Max estaba mudo.

–¡Frankesteinete, sabes bien que no aguanto los gritos! Dime, ¿has traído a alguien a quien Amadeo se pueda comer? ¡Anda, Frankesteinete, responde de una vez!

Y como no llegaba ninguna respuesta, la voz siguió:

–¡Boris, enciende la luz! Aquí hay algo que huele mal.

A unos diez pasos se encendió una luz azulada que iluminó la verde cara de un monstruo. Tenía la cabeza angulosa y una ancha y roja cicatriz le recorría la frente.

–¡Lucila, este no se parece nada a Frankesteinete! –gruñó cavernosamente el monstruo, mientras examinaba con curiosidad al chico.

Max se le quedó mirando con los ojos bien abiertos. Junto a él sonaron pasos arrastrados, y al azulado resplandor de la luz apareció una lagarta que caminaba sobre dos patas y que por lo menos era tan alta como Max. Tenía unos ojos y una boca enormes, y el cuerpo estaba cubierto por una piel arrugada y escamosa.

Por fin, Max pudo volver a moverse. Cogió una profunda bocanada de aire y empezó a gritar.

–¡Disculpa, no he querido asustarte! –gruñó confuso el monstruo de la cicatriz, que giró las gruesas tuercas que le salían a cada lado del cuello hasta que sonó un clic y la luz se apagó. Max se volvió como un trompo en la oscuridad.

–¡Fuera! ¡Tengo que salir! ¡Lo antes que pueda!

–Boris, ¿quién es ese? –preguntó la lagarta de la voz aguda.

En ese momento se oyó un rechinar detrás de Max. Un rayo de luz penetró en el interior. El chico se dio la vuelta y vio que la puerta se abría. Sin duda, Dola se había apiadado. ¡Pues que se quedase con el videojuego! Y Max se precipitó hacia la salida.

Distinguió demasiado tarde la pequeña figura que intentaba entrar en el tren fantasma. En la puerta se dio contra ella y la tiró al suelo. Max se quedó mirando a un chico que era más o menos de su edad. Llevaba un traje de terciopelo que, por lo menos, tendría cien años. Y aunque el rostro aún parecía joven, tenía el pelo blanco. Max saltó por encima de él y corrió al exterior.

Su hermana y Egon solo estaban a unos pasos. El carapán tenía a su hermana rodeada con los brazos y le daba un beso en la boca.

–¡Dola...! ¡Dola...! ¡Socorro! –gritó Max.

Dola apretó los puños y se estremeció de rabia.

–¡Sabía que perderías, so quejica! –dijo enfurecida–. Pero ¿cómo... cómo te has escapado del tren fantasma si el cerrojo estaba echado?

Max señaló a la puerta jadeando:

–¡Ahí dentro hay... un chico con canas... y un monstruo de Frankenstein... y una lagarta gigante!

Egon y Dola soltaron una carcajada.

–¡Este crío está de la olla! –dijo Egon con una risita ahogada.

–¡De todos modos, tu videojuego ya es mío! –siseó furiosa Dola.

–¡Besucona de las narices! –chilló Max–. ¡Ahí dentro se quieren comer a alguien! ¿Te enteras?

Al oír esto, a Dola y a Egon les dio otro ataque de risa. Max temblaba de miedo y de rabia. Dio media vuelta y se alejó de ellos.

–Si se pierde, nos libramos de ese pesado.
¡Y en casa puedo decir que se fue corriendo!
–resopló satisfecha Dola.

–¡Ven, te invito a un algodón! –dijo Egon.

Pero Max no se alejó mucho.
Estaba junto a la montaña rusa mirando al otro lado,
al tren fantasma. ¿Estaría… loco de verdad?
¿Veía fantasmas donde no los había?

MAX, EL PLATO PRINCIPAL

Max dio varias vueltas en torno al tren fantasma.
No paraba de temblar de miedo y emoción.
«¡Cobardica!», se reprochaba a sí mismo. Pero eso no le hacía más valiente. ¿Debía avisar a un policía? Seguro que se reiría de él. Y Max aún no estaba completamente convencido de haber visto todo aquello. Los brazos y las piernas le cosquilleaban como si le corrieran mil hormigas. No podía seguir quieto. ¿Qué hacer? ¡Tenía que decidirse a hacer algo! ¡Una foto! Esa sería la prueba de que le funcionaba bien el coco.

–Eso… lo conseguiré… No debo entrar para nada. Solo abriré la puerta de golpe, apretaré el disparador y tendré la foto. Y en cuanto lo haga, me largo –con estas palabras trató de serenarse. Lo único que le faltaba era una cámara de fotos.

Max recorrió apresuradamente las casetas. Tuvo suerte. En una caseta de tiro al blanco descubrió una cámara de fotos instantáneas. Estaba colgada sobre una diana y fotografiaba automáticamente a quienes daban en el blanco. A Max le costó mucho trabajo hablarle al propietario de la caseta, que, malhumorado, estaba a la espera de algún cliente mientras mascaba una colilla.

–Este… perdone… mire usted… yo… –balbuceó Max.

El hombre le miró con desprecio.

–Eres demasiado pequeño para tirar. ¡Lárgate!

–Yo… yo no quiero disparar. ¡Por favor, présteme la cámara instantánea! –soltó Max.

El hombre le tiró la colilla a los pies y su voz silbó:

–¡Tú estás chalado!

Max iba ya a marcharse. Pero esta vez se trataba de probar si de verdad estaba loco o no. Además, tal vez estaba en juego la vida de alguien. Así que se sacó el billete del bolsillo.

–¡Se lo pagaré!

Aquel hombre nunca despreciaba el dinero, y como de todos modos por el momento nadie iba a tirar, cogió la cámara de la pared.

–Solo le queda una foto –dijo.

–Es suficiente –respondió Max–. Pero ¿cómo sabré si me vas a devolver el trasto?

Max se agachó y levantó su monopatín, que siempre llevaba consigo.

–Tome, ¿lo acepta en prenda?

El hombre accedió.

Max regresó silenciosamente al tren fantasma.
Llegó de puntillas hasta la puerta de atrás y pegó la oreja.
El cerrojo estaba abierto; los candados, por el suelo.

No se oía nada. ¿Estaría de verdad deshabitado
el tren fantasma? Max siguió deprisa y se puso a escuchar
a través de la pared lateral. Allí se oía algo:
rasponazos, arañazos, unos jadeos y unas escarbaduras.
¿Tal vez se trataba de un perro grande?
¿Sería el tal Amadeo?

El chico se apresuró a volver a la puerta trasera,
y esta vez oyó voces: era la voz clara de esa…
esa lagarta gigante, y la voz cavernosa, algo tonta,
del monstruo Frankesteinete. Y ahora hablaba un chico…,
tal vez el tipo al que Max había atropellado.

–¿Y usted cómo lo ve, señorita Lucila?
¡Yo no puedo arrastrar hasta aquí a una persona
y dársela de comer a Amadeo Licántropo!

La voz aguda propuso algo:

–¿Y por qué, sencillamente, no dejamos la puerta abierta
y esperamos a que alguien se cuele dentro,
igual que el chico de antes? Me parece que deberíamos
dejar que el azar decida a quién puede comerse Amadeo.

El chico misterioso pareció estar de acuerdo.

–No es mala idea. Además, estas visitas indeseadas
le plantean ciertas dificultades a mi aparato de pensar.
¡Me temo que la tal Karla Kätscher está detrás
de nuestra pista y que el chico y los desconocidos
podrían ser sus espías!

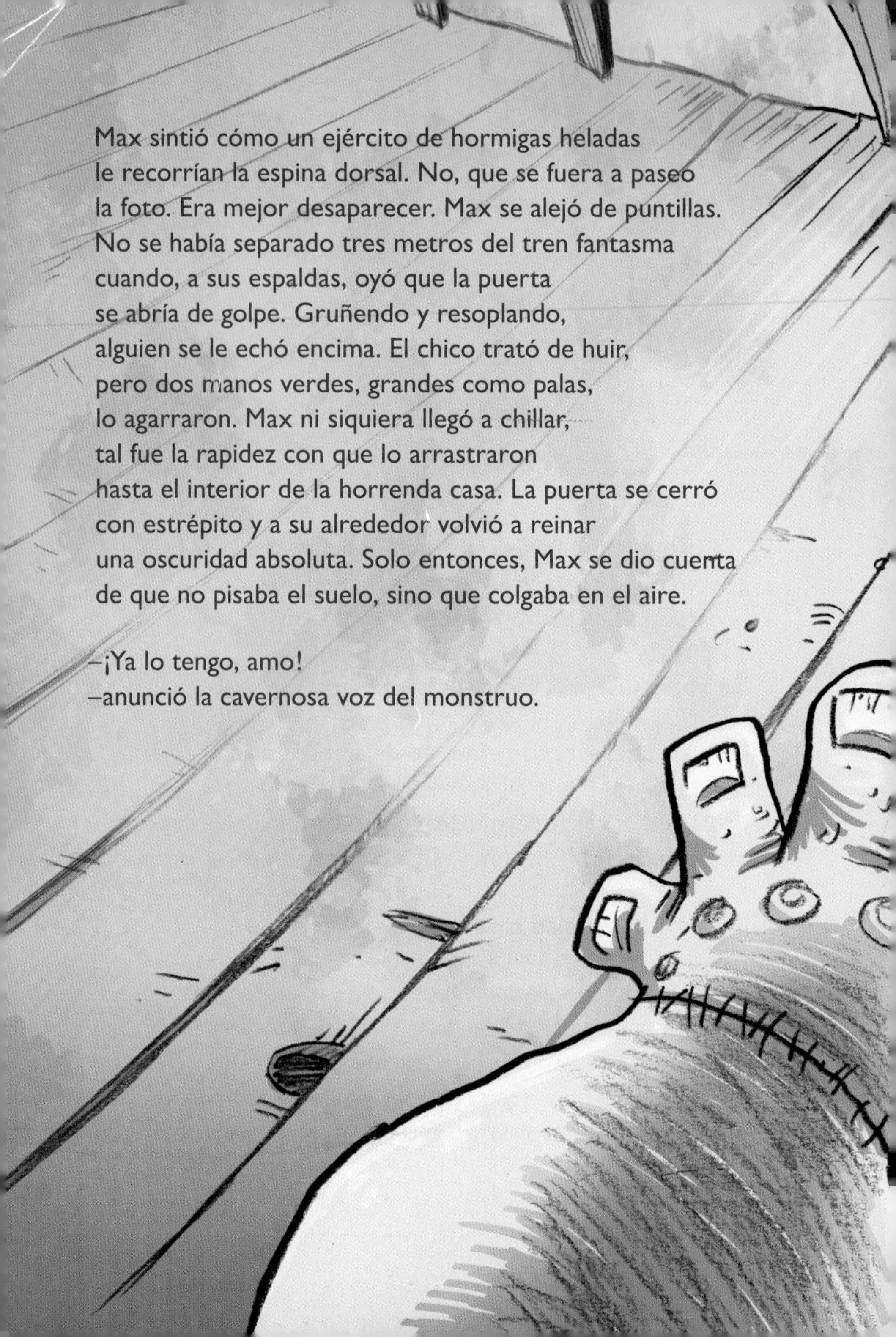

Max sintió cómo un ejército de hormigas heladas
le recorrían la espina dorsal. No, que se fuera a paseo
la foto. Era mejor desaparecer. Max se alejó de puntillas.
No se había separado tres metros del tren fantasma
cuando, a sus espaldas, oyó que la puerta
se abría de golpe. Gruñendo y resoplando,
alguien se le echó encima. El chico trató de huir,
pero dos manos verdes, grandes como palas,
lo agarraron. Max ni siquiera llegó a chillar,
tal fue la rapidez con que lo arrastraron
hasta el interior de la horrenda casa. La puerta se cerró
con estrépito y a su alrededor volvió a reinar
una oscuridad absoluta. Solo entonces, Max se dio cuenta
de que no pisaba el suelo, sino que colgaba en el aire.

–¡Ya lo tengo, amo!
–anunció la cavernosa voz del monstruo.

–¡Bien, Boris, muy bien! –oyó Max que decía el misterioso chico, que hablaba en un tono particularmente complicado y retorcido–. Aún le agradezco a mi hermano mayor que le implantase las orejas y el hocico de un perro. Probablemente fue la única idea buena que jamás haya tenido, pues, por lo demás, solo me dio motivos de enfado. Siempre me trató sin delicadeza y con vulgaridad. Pero gracias a sus orejas de perro y a su fino olfato, pudo usted husmear y atrapar a tiempo a este sorprendente visitante.

–¿Qué… qué… hacemos ahora con él? –trinó la voz aguda.

–¡Propongo que lo consideremos un regalo del azar y que se lo sirvamos de plato principal a Amadeo! –sostuvo el chico.

Al sonar este nombre, se oyó un ruido frenético de rasponazos, arañazos y escarbaduras.

–Abra usted la puerta, señorita Lucila.

Max trató de librarse de las manazas que lo sujetaban. «¡No!», quiso gritar, pero su boca no emitió más que un ronco sonido gutural.

–¡Atención, que abro ya! –anunció la lagarta gigante, que exclamó con voz aflautada–: ¡Amadeo, ya es la hora de la comida! ¡Ahí va tu plato!

Desde detrás de la puerta, alguien aulló con avidez…

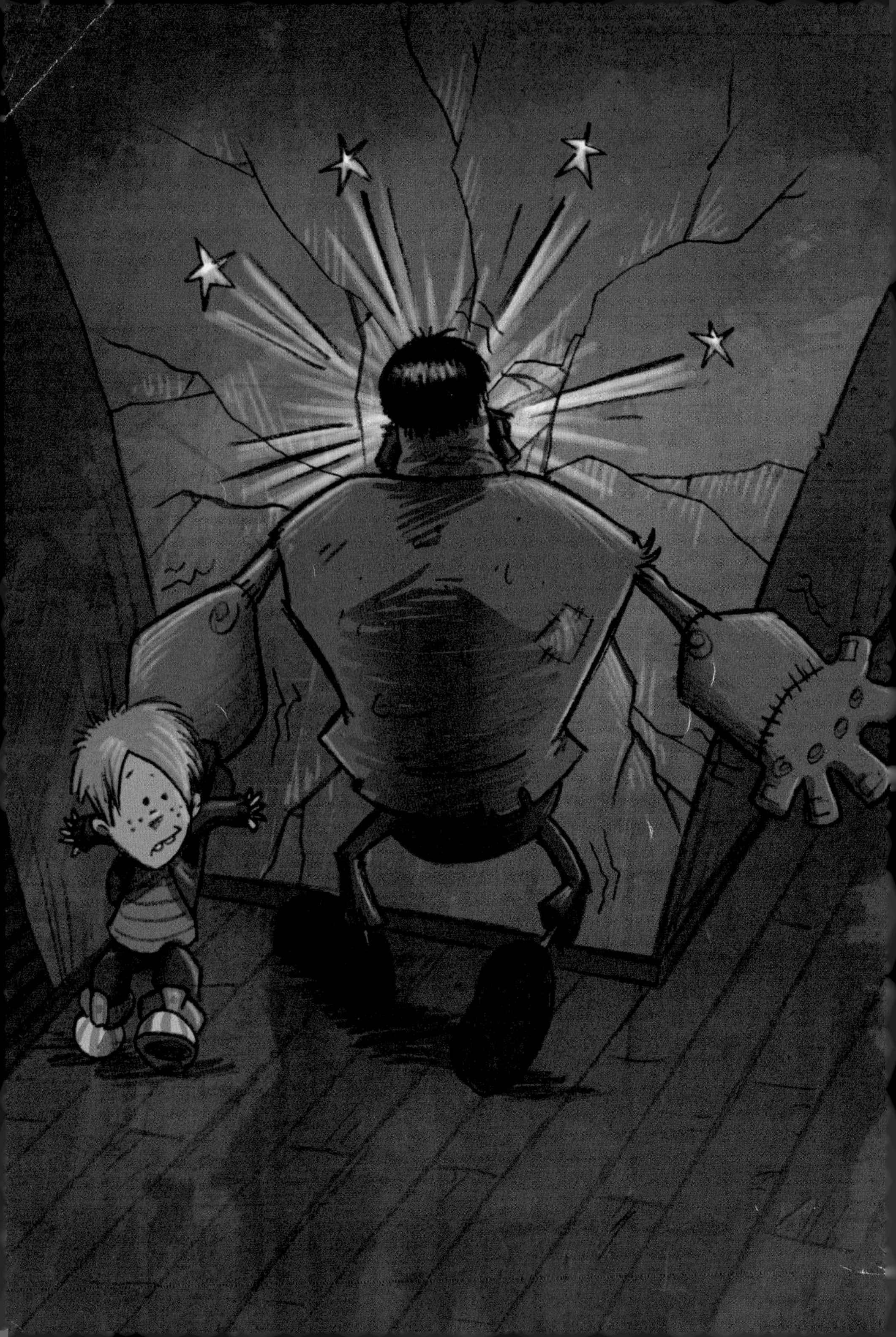

¡PERO SI ESO NO EXISTE!

Lenta y pesadamente, el monstruo de Frankenstein se puso en movimiento para «servir» a Max. El chico estaba paralizado de miedo. ¡Paf! El monstruo chocó estrepitosamente contra una pared. Gruñó un poco y siguió avanzando con su pesado caminar. ¡Boing! Otra vez volvió a darse contra la pared.

–¡Boris, se lo ruego! Va usted a hacernos picadillo la casa –le amonestó el chico–. ¡Dé usted la luz para ver mejor!

El monstruo soltó de una de sus manazas a Max
y dio la vuelta a las tuercas de su cuello. Inmediatamente,
la cabeza se le iluminó dando una clara luz verde.

Max aprovechó para reunir todas sus fuerzas y soltarse
de un tirón. Cayó al suelo, se incorporó y corrió
para salvar la vida. El monstruo lo siguió, vacilando.
Delante de él volvió a haber contoneos y arrastrar
de pasos, y junto a él correteaban pequeños zapatos.

-¡Más luz, Boris! –ordenó el chico desconocido.

Al momento, toda la habitación se iluminó claramente.
Max se dio la vuelta y vio que el monstruo
de Frankenstein llevaba en las manos dos bombillas...
¡que lucían! ¡Sin casquillo ni cable!

-¡Rápido, acudan todos a ayudarnos!
-exclamó el misterioso muchacho.

A su alrededor se abrieron puertas,
y algunas formas oscuras se apresuraron
hacia donde estaba Max.
El chico dio media vuelta y se quedó mirándolos a todos
con ojos asustados y muy abiertos.

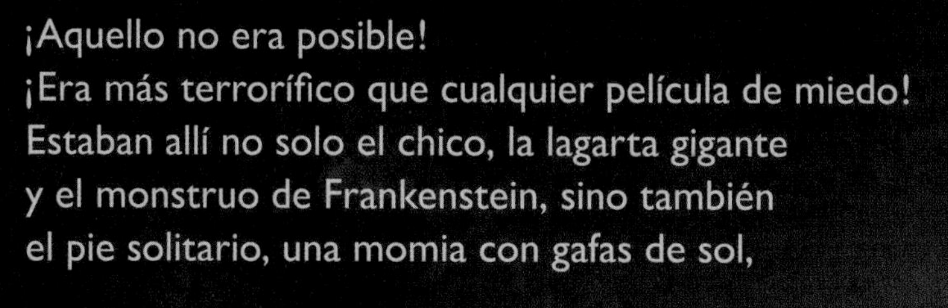

¡Aquello no era posible!
¡Era más terrorífico que cualquier película de miedo!
Estaban allí no solo el chico, la lagarta gigante
y el monstruo de Frankenstein, sino también
el pie solitario, una momia con gafas de sol,

un saurio verde, un perro de tres cabezas
y un vampiro gordo con largos y afilados colmillos.
Pero estos monstruos no eran de trapo y cartón,
sino de verdad. Se colocaron alrededor de Max
y se fueron acercando poco a poco.
No era posible escapar de ellos: su círculo
se fue estrechando más y más.

–Me animaría a apostar que nos encontramos ante un compinche de Karla Kätscher –dijo el muchacho del traje de terciopelo, a lo que todos empezaron a bufar y a gruñir–. Propongo que se lo demos a Amadeo Licántropo para calmar su avidez de sangre. ¿Hay alguien en contra?

Todos menearon la cabeza, y el pie solitario hizo lo propio con el dedo gordo.

–Boris, agárralo y échaselo a Amadeo. Pero cierra la puerta: no quiero ver lo que hace con él –ordenó el muchacho.

Max agitó los brazos, desesperado.

–¡No, por favor, no! –suplicó–. Yo... no conozco a ninguna Karla Ketchup. No, por favor..., no..., no.

El muchacho del traje de terciopelo opinaba de otro modo.

–¡Ha encontrado usted nuestro escondite y nos delatará!

Max se puso a sollozar fuertemente.

–¡No, no se lo diré a nadie!
¡No soy ningún espía...,
solo he venido aquí... porque la imbécil
de mi hermana mayor se metía conmigo!

Las palabras
«la imbécil
de mi hermana mayor»
parecieron tener
un efecto mágico.

–¿Tiene usted una hermana mayor?
–quiso saber el muchacho.

Max afirmó con un gesto.

–¿Fue usted construido también por ella?

Max meneó negativamente la cabeza.

–Yo fui construido por mi hermano mayor
–explicó el muchacho–. Él era el doctor Frankenstein,
y como jamás tuvo un hermano, me ideó
y me construyó. De nombre me puso Frankesteinete.

Max se quedó boquiabierto.

–¿Existe de verdad
el doctor Frankenstein?
–preguntó con un hilo de voz.

Frankesteinete lo negó:

–¡Ya no! Porque no era inmortal como todos los seres que construyó. Pero sus burlas todavía resuenan en mis oídos. Como no le salí tan alto y fuerte como él, siempre me llamó Canijo.

–¿Canijo? También mi hermana me dice eso, aunque me llamo Max –balbuceó el chico. Tenía la sensación de que los monstruos que le rodeaban se estaban calmando. Y señalando al monstruo de Frankenstein, dijo–: ¿Y ese... de verdad... que es... también un... trabajo de bricolaje de su hermano?

—¡Así es! Se trata de Boris. A veces, lamentablemente, tiene cortocircuitos, y por eso lo llamamos Boris Tembleque –explicó Frankesteinete.
Iba a continuar cuando, desde la única puerta que aún estaba cerrada, se volvió a oír un raspar y un bufar.

—¡Amadeo Licántropo! –exclamaron todos apenados, y casi simultáneamente miraron a Max, que deseó que la tierra se lo tragara.

—¡No..., por favor..., no! –gimoteó, pues bien sabía lo que los monstruos pensaban.

–Amadeo Licántropo lleva aquí dos semanas –dijo gravemente Frankesteinete–. En luna llena le entra un hambre que debe saciar puntualmente a medianoche. Si no, se pone tan furioso que todo lo hace añicos. ¡Y entonces escapa y recorre la ciudad hasta encontrar una víctima! ¡No tenemos más remedio que entregarle a usted como alimento!

A Max estas palabras le sentaron como un puñetazo. Ya se había sentido casi seguro.

–No..., no..., por favor..., yo... yo... esto, yo... encontraré algo para que Amadeo Licántropo pase esta noche completamente tranquilo. Lo prometo. Lo... lo traeré antes de medianoche. ¡Seguro!

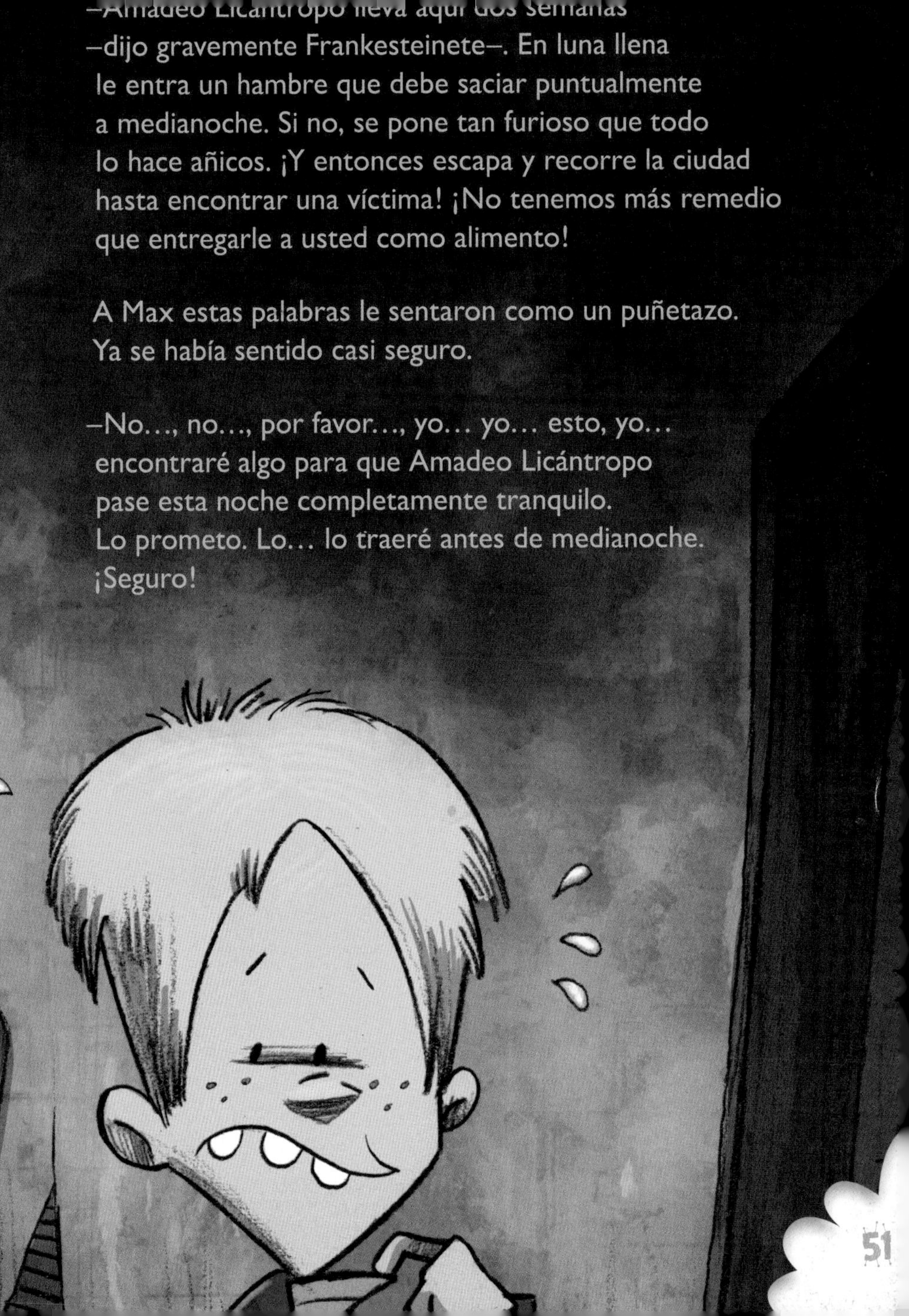

Frankesteinete recapacitó.

–¿Y cómo vamos a saber que podemos confiar en usted? –preguntó–. ¡Usted podría ser un espía y nos delataría si le dejamos irse!

La lagarta gigante se entrometió, moviendo sus largas pestañas como si fueran abanicos.

–¡Frankesteinete, tal vez el muchachito diga la verdad!

Max le sonrió, agradecido.

El pie solitario brincó repetidamente delante de Max y emitió unos chirridos. Frankesteinete pareció comprenderlos.

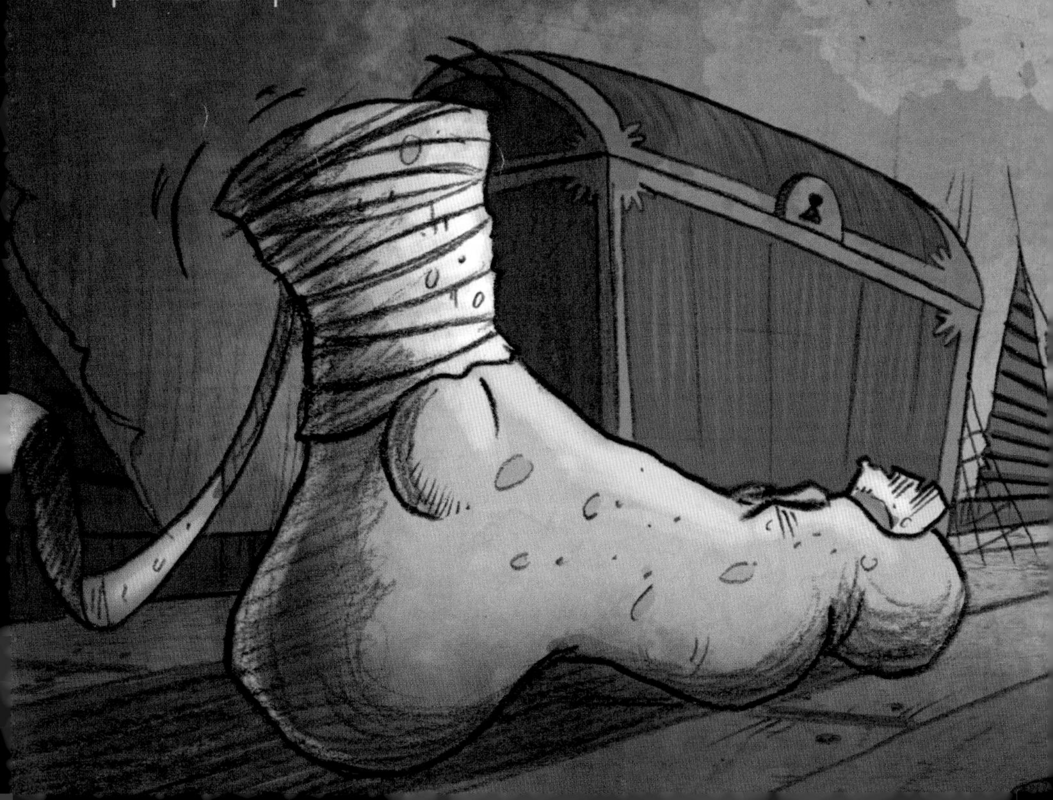

–Consiento –dijo finalmente–. Pero Piecete le acompañará a usted, y en caso de que quiera engañarnos, volverá a traerlo. ¡Debe usted volver aquí antes de medianoche! Con o sin remedio milagroso. En caso de que no lo traiga, deseamos buen provecho a Amadeo Licántropo…

A Max le dio un escalofrío.

Los monstruos formaron un pasillo que llevaba derecho a la puerta trasera. El chico avanzó apresuradamente entre ellos. La puerta se abrió como por arte de magia y Max salió dando un traspié.

Necesitó un buen rato para coger aire.
Como no partió de allí enseguida, alguien le arreó en la espinilla. Piecete estaba delante de él y sus dedos golpeaban el suelo con impaciencia.

–Yo… yo…, ¡claro que lo haré! –graznó Max.
De nuevo cambió la cámara instantánea por su monopatín y salió corriendo.
Piecete se le mantuvo pegado a los talones.

Y AHORA, ¿QUÉ?

Max llegó a su casa justo a la seis y un minuto.
Piecete volvió a emitir sonidos estridentes, pero Max no los comprendió.

–Ven…, yo… te esconderé debajo de mi jersey –le ofreció Max.

El pie dio un salto y aterrizó en la mano de él. Max sintió repugnancia ante aquella parte anatómica suelta y fría, y el estómago se le contrajo cuando la escondió debajo del jersey. Como no llevaba llave, tuvo que tocar el timbre.

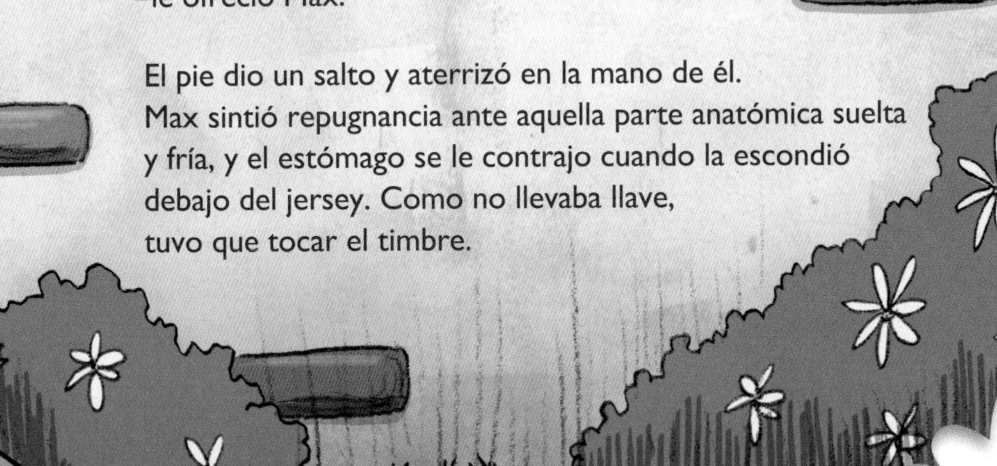

Fue Dola quien le abrió la puerta.

–¡Que vayas enseguida a ver a mamá! –le dijo, volviendo a poner una sonrisa socarrona de lo más vil. Ya se había chivado de que su hermano pequeño se había largado.

A continuación vino una larga reprimenda, durante la cual Max estuvo pensando en cosas muy distintas. Solo le quedaban seis horas para salvar el pellejo...

Max depositó a Piecete en su habitación y le pidió que se quedara allí. A continuación, fue al comedor, se dejó caer en su silla y revolvió desganado los espaguetis que había para cenar.

–¡Me parece que ya está bien de que siempre me toque a mí cuidar de Max! –se quejó Dola–. Esta tarde iba a salir a divertirme con las amigas de clase. ¡Pero con este canijo pegado se me amarga la vida!

Max se puso a bramar:

–¡Yo no soy un canijo, y tú lo único que querías era besuquearte con Egon, tu noviete! –le soltó a su hermana.

La señora Müller aguzó el oído.

–¿Cómo? ¿Quién es Egon?

Dola se puso colorada y balbuceó como pudo:

–Oh…, nadie… Así se llama el… osito de peluche de mi amiga.

Pero la señora Müller no le creyó una palabra y siguió indagando. Dola arreó a su hermano una patada en la espinilla por debajo de la mesa. Max soltó un gemido. Sabía que la venganza de Dola aún no había llegado. El señor Müller cogió a su mujer del brazo para calmarla.

–¡Por favor, no te alteres!

Pero ya era demasiado tarde. A la señora Müller le hervía la sangre.

–Cariño, haz el favor de traerme mis pastillas de valeriana –exigió la madre.

El señor Müller le trajo las grajeas.

–¿No te sentarán mal? –preguntó.

–No, no contienen nada de química. Solo valeriana, que es una planta. La valeriana calma los nervios, y lo que me hace falta ahora es calmarme –se llevó enérgicamente tres pastillas a la boca y se las tragó con un poco de agua.

–¡Cariño, no te pases o te quedarás dormida en el acto! –dijo preocupado el padre.

–No te preocupes; para eso hacen falta seis pastillas
–explicó la señora Müller.

¡Valeriana! ¡Esa era la solución!
Si su madre se dormía con la valeriana,
seguro que el tal Amadeo Licántropo, también.
Max se levantó sigiloso de su silla y siguió a su padre,
que salía de la habitación con el frasco de pastillas.
Tenía que averiguar a toda costa
dónde guardaban las pastillas de valeriana.

¡Ajá! El señor Müller las puso en el cajón de la mesita
de noche de su mujer. Max esperó a que su padre
regresara al salón y cogió las pastillas. Después se fue
corriendo a su habitación y le enseñó su botín a Piecete.

–¡Amadeo Licántropo debe tragarse todas las que pueda para quedarse dormido y no salir en busca de una nueva víctima! –le explicó a Piecete. Este respondió chasqueando los dedos. Max miró por la ventana. La pálida luna ya bañaba con su luz los tejados de la ciudad. ¿Cómo llegaría a la feria antes de medianoche? Seguro que su madre ya no le iba a dejar salir.

El chico echó una ojeada al canalón de desagüe. Parecía resistente. Sin duda podría bajar por él. Con el monopatín llegaría a su destino en menos de media hora. Sin embargo, tendría que recorrer calles y callejones oscuros… Max miró al suelo y vio a Piecete. ¡No se encontraba solo, Piecete estaba con él! «Al fin y al cabo, debe llevarme sano y salvo al tren fantasma. Como salvador o como alimento», recapacitó Max, y le dio un escalofrío.

Pero ¿qué sucedería si su madre descubriera que no estaba en la cama? Le daría un ataque y buscaría las pastillas de valeriana. ¡Pero también estas habrían desaparecido! Max se estrujaba los sesos para dar con la manera de desaparecer sin ser descubierto. Estando en esas, su mirada fue a dar en un póster a todo color que estaba junto a su escritorio. Se trataba de un calendario que servía para recordarle los cumpleaños de sus familiares y amigos. Dola le había regalado ese calendario y Max lo odiaba. Hasta entonces solo había tenido marcado el cumpleaños de su hermana mayor, claro, para que su hermano no lo olvidara. Max sonrió con malicia. Faltaba una semana para el cumpleaños de Dola. Por fin le iba a servir de algo el calendario.

Fue corriendo al salón, bostezó sonoramente y anunció:

–Enseguida me voy a dormir. Pero antes
tengo que preparar una cosa.

Su madre se quedó mirándolo detenidamente.

–¿Y qué es?

–Un regalo de cumpleaños para Dola.

Su hermana se incorporó de un brinco y gritó:

–Seguro que es otra de sus endiabladas tretas.
¡Quiero ver enseguida lo que hace!

Max sacudió enérgicamente la cabeza.

–No. Será una sorpresa, y para asegurarme
de que no me espías, echaré la llave de mi habitación.

Ya en su habitación, Max dio dos vueltas a la llave, agarró el monopatín, ató un grueso cordel a su alrededor y lo hizo descender por la ventana.
Piecete bajó corriendo por la vertical del muro de la casa.
Max se descolgó por el canalón de desagüe, montó en su monopatín y se dispuso a partir.

Pero entonces notó que alguien le daba empujoncitos suaves en el zapato. Era Piecete. Le indicó a Max que le dejara un poco de sitio y saltó a bordo.
Max respiró hondamente y se impulsó con el pie.
¡En marcha!

VaLeriana

¿QUIÉN ES AMADEO LICÁNTROPO?

Poco antes de las nueve, Max se encontró junto al tren fantasma.
Indeciso, llegó hasta la puerta trasera y llamó.
Frankesteinete tiró rápidamente de él hacia adentro.

–¿Ha encontrado usted algo? –le preguntó enseguida.

Max movió afirmativamente la cabeza
y le dio el frasco a Frankesteinete.

–¡Mi madre toma tres para calmarse
y seis para dormir bien!

Frankesteinete vació el contenido del frasco en su mano y contó las pastillas. Eran 55.

–¡Sin duda, a Amadeo Licántropo le harán falta todas para dormir toda la noche de luna llena! –constató.

Por fin, Max se atrevió a preguntar:

–¿Me puede decir quién es Amadeo Licántropo?

El hermano menor de Frankenstein le pidió que le acompañara. Atravesaron el espacio elevado por el que en otro tiempo habían circulado los vagoncitos del tren fantasma y llegaron hasta una puerta de color amarillo chillón en cuyos maderos había un agujero por el que Max pudo mirar. Distinguió un cuarto sin ventanas, mortecinamente iluminado por una vela. En el suelo, agazapada, vio una figura oscura y peluda, con el aspecto de una persona de larga y densa cabellera.

Max ahogó una exclamación al reparar en la parda piel de las manos. Entonces el desconocido levantó la cabeza, la estiró y se puso a aullar horrendamente.

Max retrocedió sobresaltado.

–Pero si es... si es... ¡un hombre lobo!

Frankesteinete le corrigió.

–Digamos, para ser precisos, que se trata de un licántropo. Se mudó aquí hace unas semanas y se llama Amadeo Licántropo. No sabíamos qué problemas tendríamos con él en las noches de luna llena. ¡El hambre convierte a Amadeo Licántropo en una bestia arrasadora! El resto del tiempo se comporta tranquilamente –el hermano menor de Frankenstein llamó con suavidad a la puerta y dijo–: Señor Amadeo Licántropo, tengo aquí algo que le ayudará a usted.

Como respuesta, este emitió un gruñido poco amigable.

–¿Me has traído a alguien? –preguntó una voz particularmente furiosa.

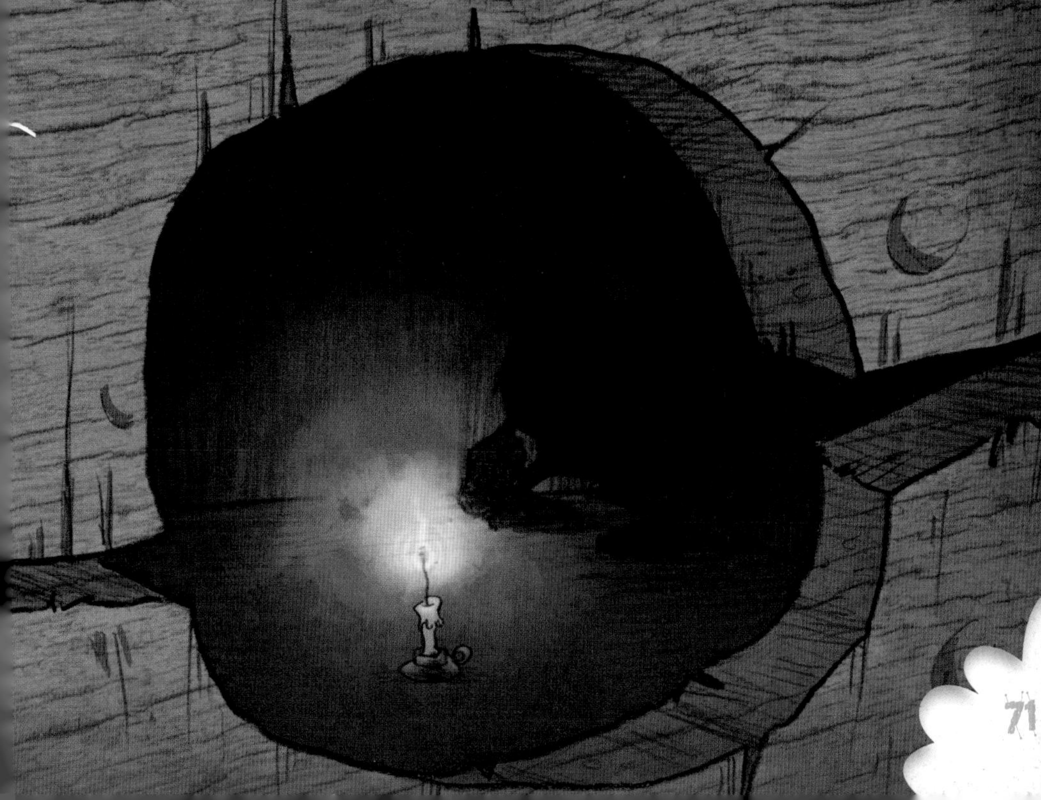

–¡Sí! –dijo Frankesteinete. Max retrocedió de golpe, asustado.

–Huelo... huelo a carne humana..., a sangre..., ¡sangre joven! –rugió Amadeo Licántropo.

–Acérquese a la puerta a oler un poco –dijo Frankesteinete para atraerlo.

–Pero... pero... –balbuceó Max. Frankesteinete se llevó el índice a los labios.

–¡Psssst! –Amadeo Licántropo se levantó y se acercó a la puerta tambaleándose. Max pudo distinguir las húmedas y negras fauces que se apretaron contra el agujero.

–Y ahora viene una pequeña degustación –prometió Frankesteinete–. ¡Abra usted la boca!

Solo entonces se dio cuenta Max de lo que Frankesteinete pretendía. Cuando la garganta del monstruo, roja como la sangre, asomó al otro lado del agujero, el muchacho arrojó dentro todas las pastillas. El lobo, sorprendido, cerró la boca de golpe y se atragantó y gargareó. Después rugió encolerizado:

–¡Eso no es carne humana! ¡Es… es… es…!

Las palabras de Amadeo Licántropo se fueron haciendo más y más lentas.

–¡Lo voy a destrozar todo! –advirtió.
Se lanzó contra la puerta y la madera se rajó.

¿Habría sido poca valeriana?

Amadeo Licántropo se lanzó nuevamente contra la puerta. Esta vez, la podrida madera ya no pudo nada contra aquella furia: la puerta cayó al suelo con estrépito y ante Max apareció un licántropo de por lo menos dos metros de altura que abría desmesuradamente la boca enseñando sus largos colmillos amarillentos.

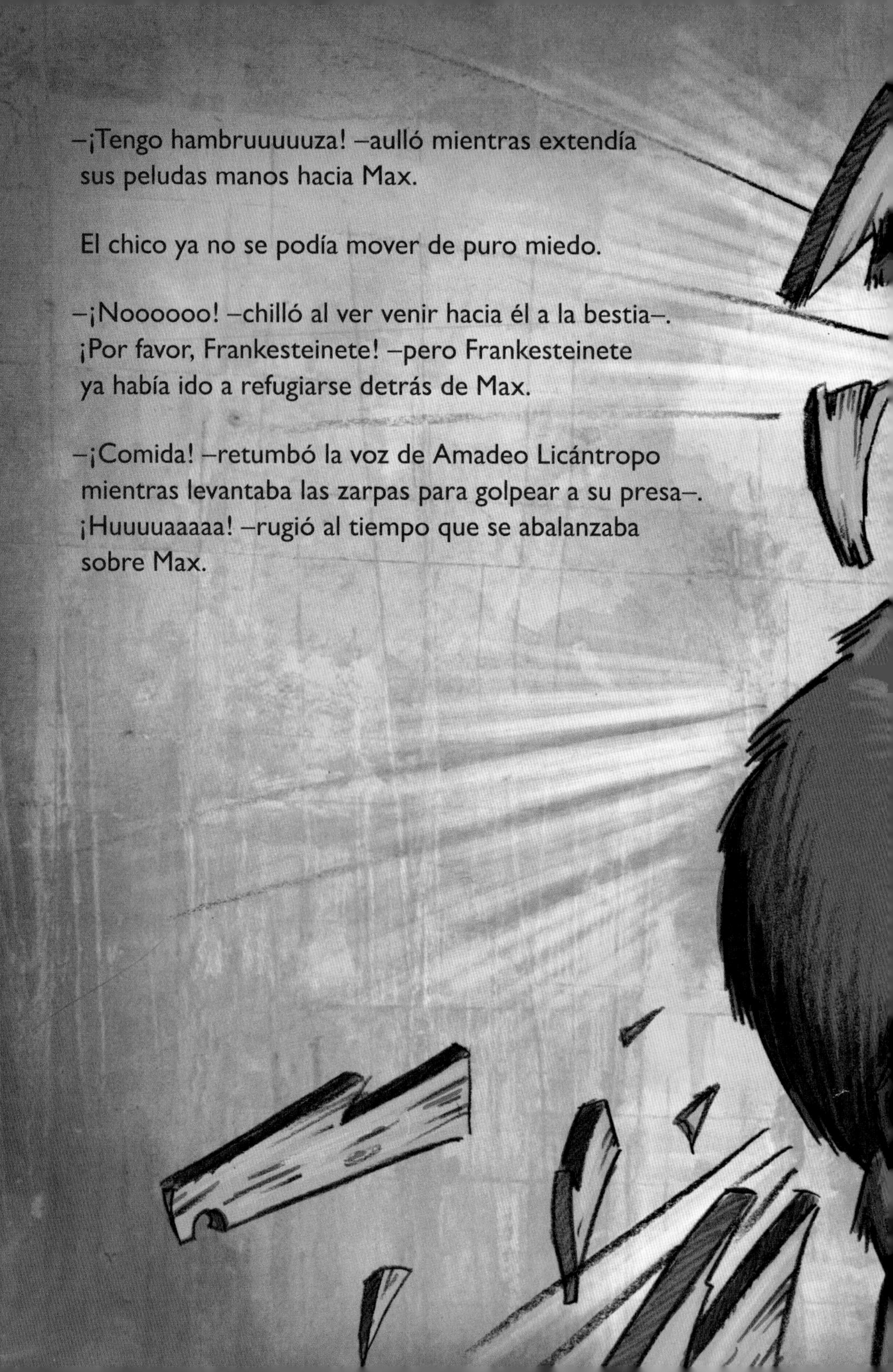

–¡Tengo hambruuuuuza! –aulló mientras extendía sus peludas manos hacia Max.

El chico ya no se podía mover de puro miedo.

–¡Noooooo! –chilló al ver venir hacia él a la bestia–. ¡Por favor, Frankesteinete! –pero Frankesteinete ya había ido a refugiarse detrás de Max.

–¡Comida! –retumbó la voz de Amadeo Licántropo mientras levantaba las zarpas para golpear a su presa–. ¡Huuuuaaaaa! –rugió al tiempo que se abalanzaba sobre Max.

ZZZ
...

LOS ÚLTIMOS MONSTRUOS DEL MUNDO

Como un saco de arena mojado, el monstruo se desplomó ante el chico y quedó tumbado en el suelo. De las hambrientas fauces de Amadeo Licántropo se escapaba un monótono y sonoro… ronquido.

–¡Se ha quedado dormido; finalmente, su remedio ha dado resultado! –dijo alegre Frankesteinete–. Debo confesar que eso me confiere cierta tranquilidad. La sola idea de que Amadeo Licántropo…, pero bueno…, ya ha pasado. ¡Max, ha demostrado usted valor!

El chico no podía creerlo. ¿Tener valor él, el mayor cobarde de todos los tiempos?

Piecete apareció a su lado y trinó con excitación. Frankesteinete le escuchaba atento y decía una y otra vez:

–Sí, sí, comprendo.

Finalmente, se dirigió a Max:

–Piecete me ha contado lo que le ha pasado con usted. Le creo. Usted no es un espía de Karla Kätscher.

Max se quedó aliviado.

–Bueno, por fin –suspiró–. Pero... pero... usted... eh... No me trates de usted. Seguro que tienes la misma edad que yo, ¿no?

Frankesteinete se disculpó encogiéndose de hombros.

–Mi hermano me ha implantado los cerebros de cuatro sabios profesores que vivieron hace ciento veinte años. Mi cortesía está metida ahí dentro. No lo puedo evitar. Mas ahora quisiera agradecerle cordialmente su ayuda.

Frankesteinete cogió la mano a Max y se la apretó efusivamente.

–Perdone que haya sospechado de su colaboración con Karla Kätscher. Por cierto, ¿sabe si su hermana mayor ha entrado esta tarde en el tren fantasma antes que usted?
Max negó con un movimiento de la cabeza.
Frankesteinete se rascó la barbilla pensativo.

–Antes que usted, alguien más ha entrado aquí, porque mis amigos no han estado atentos. Pero no tenemos ni idea de quién ha sido. Esperemos que no fuera nadie que nos quiera hacer daño.

Y ahora que todos los temores se habían esfumado, de pronto Max se sintió muy cansado y débil. Las piernas le fallaron y se dejó caer al suelo.

–Yo… Es que todo ha sido… demasiado… –balbuceó Max apurado. Frankesteinete se sentó al lado y dijo:

–¿Quiere usted que le enchufemos a la batería de Boris para darle fuerzas? ¿O prefiere usted un vaso de zumo de veneno de araña? Mombo Momia lo ha exprimido hoy mismo.

Max rehusó agradecido.

–¿Sois realmente monstruos... de verdad? –preguntó incrédulo.

–¡Debe usted prometer que no dirá a nadie una palabra! –le encareció Frankesteinete.

Max lo prometió.

–Sí, todos somos monstruos de verdad. Los últimos del mundo –contó el extraño muchacho–. ¡Todos estamos huyendo!

Para Max, aquello iba demasiado deprisa.

–Un momento... Más despacio... ¿Quiénes sois todos y de quién estáis huyendo?

Frankesteinete llamó a los demás, que enseguida acudieron y se colocaron en torno a Max. La monstrua verde en forma de saurio llegó metida en una bañera empujada por Mombo Momia. A continuación, Frankesteinete presentó a un monstruo tras otro:

NOMBRE: Lucila.

EDAD: 33 años.
PECULIARIDADES: Puede cambiar de color como un camaleón y es muy vanidosa.
LE DISGUSTA: Los ruidos y las personas ruidosas.
LE GUSTA: Las llaves inglesas y los picaportes de las puertas. Son su alimento preferido.

NOMBRE: Piecete.
EDAD: 44 años.
PECULIARIDADES: Callos en los dedos pequeños.
LE DISGUSTA: Los zapatos estrechos.
LE GUSTA: Las pantuflas de peluche.

NOMBRE: Frankesteinete, hermano menor del doctor Frankenstein.

EDAD: Fue construido en el año 1877.
PECULIARIDADES: Habla con mucha distinción y trata a todo el mundo de usted. Hace las cuentas con más rapidez que cualquier calculadora de bolsillo.
LE DISGUSTA: Los maestros y las escuelas.
LE GUSTA: Los cementerios.

NOMBRE: Boris, el primer monstruo de Frankenstein.

EDAD: La cabeza, 144 años; los brazos y las piernas, 143; el tronco, 143, y el cerebro, 102 (tuvo que cambiárselo una vez).

PECULIARIDADES: Tiene nariz y orejas de un perro y puede encender bombillas con las manos. Pero a veces falla el contacto.

LE DISGUSTA: El agua, por peligro de cortocircuito.

LE GUSTA: La corriente eléctrica.

NOMBRE: Nesina, hija de Nessie,
el monstruo del lago Ness.

EDAD: 1.209 años.
PECULIARIDADES: Se baña siempre que puede.
Nada muy bien.
LE DISGUSTA: El jabón.
LE GUSTA: Las bañeras y los lagos.

NOMBRE: Mombo Momia.

EDAD: 3.667 años.
PECULIARIDADES: Puede echar el mal de ojo y producir desgracias. Por eso siempre lleva gafas de sol.
LE DISGUSTA: Las polillas, porque la agujerean al comer.
LE GUSTA: Los trapos, pero solo cortados en tiras para poder envolverse en ellos.

NOMBRE: Amadeo Licántropo.

EDAD: Hace 356 años le mordió un licántropo y se convirtió en uno de ellos.
PECULIARIDADES: Come siempre escalope con ketchup.
LE DISGUSTA: Los cazadores que disparan balas de plata y los dentistas.
LE GUSTA: La música rock y las motos de gran cilindrada.

NOMBRE: Draculín.

ANTEPASADO CÉLEBRE: El conde Drácula (era tío suyo).
EDAD: Le mordió un vampiro en 1666.
PECULIARIDADES: No le afecta la luz diurna porque se unta una crema protectora (igual que nosotros nos damos crema para el sol).
LE DISGUSTA: El ketchup.
LE GUSTA: Todo lo que sea rojo, y sobre todo… bueno, ya sabéis.

NOMBRE: Zerbi, el cancerbero.

EDAD: 5.790 años.
PECULIARIDADES: Tiene tres cabezas que siempre andan peleándose.
LE DISGUSTA: La comida para gatos.
LE GUSTA: Las latas de comida para perros.

Frankesteinete clausuró la ronda de presentaciones con estas palabras:

–En fin, esos somos. ¡Y probablemente se nos unirán otros monstruos en su huida de Karla Kätscher!

Max no daba crédito a sus ojos y oídos.

–¿Quién es esa Karla Kätscher? –preguntó finalmente.

EL TERRIBLE PLAN DE KARLA KÄTSCHER

Siempre que salía el nombre de Karla Kätscher, los monstruos se quejaban amargamente. Parecía que esa mujer era lo peor del mundo.

–¿Quiere usted estar enjaulado? –preguntó Frankesteinete, a lo que Max negó moviendo la cabeza–. ¿Quiere usted salir a escena a hacer un numerito? –de nuevo negó el chico–. Pues Karla Kätscher es propietaria de una feria ambulante y tiene una idea. Y es que la gente acudiría en tromba si les ofreciera como atracción un tren fantasma con monstruos de verdad. Por eso nos busca como un perro sabueso por todo el mundo. Es una mujer tenaz. Ha dado con la pista de cada uno de nosotros, pero por suerte no ha cogido a ninguno. Primero arremetió contra Nesina, que vino a mí huyendo. Más tarde fue a la caza de Mombo Momia y de Draculín. También estos dos buscaron refugio en el castillo de mi difunto hermano. Por último, llegaron todos los demás, y una noche… Karla Kätscher se plantó delante de nuestra puerta. ¡Afortunadamente, pudimos escapar por un túnel subterráneo! –contó Frankesteinete–. A Amadeo Licántropo le mandé un aviso y, al recibirlo, acudió aquí con nosotros.

Max no lo comprendía.

–¿Y cómo es que os escondéis
en un viejo tren fantasma? –preguntó.

–Usted, ¿dónde nunca esperaría encontrar
a unos monstruos? –preguntó a su vez Frankesteinete.

Max comprendió.

–¡Claro, en un tren fantasma! Pero ¿cómo tenéis miedo
de una sola mujer? –se extrañó–. Vosotros sois muchos
y horrendos. ¡Y ella está sola!

Frankesteinete disintió con un gesto de la mano.

–Tiene un ayudante llamado Adonis.
Como no es muy listo, se le conoce con el apodo
de Chorlito.

Max se rió.

–Pero, de todos modos, sigo sin entenderlo.
Esa Karla Kätscher no tiene nada que hacer
contra todos vosotros. ¡Si os mantenéis unidos,
no os puede pasar nada!

Los monstruos estuvieron mirándose largo rato
y se pusieron a discutir acaloradamente.

–Max tiene razón. ¡No tenemos por qué temerla
mientras estemos juntos aquí, en nuestro tren fantasma!

Los monstruos estallaron en grandes aullidos de alegría
y en horrísonos alaridos. Por segunda vez esa noche,
Frankesteinete dio un apretón de manos a Max.

–¡Gracias, muchas gracias, ha vuelto usted a ayudarnos!

–Bueno, en fin... ¡Con mucho gusto! –respondió Max.

De nuevo volvieron a oírse fuertes vítores de alegría
y los monstruos echaron al aire a Max.
Llenos de alegría, lo lanzaban a lo alto y volvían
a recogerlo. Hasta entonces, Max no había tenido
ningún amigo, porque su madre ponía reparos
a todos. Y por suerte no se imaginaba nada
de estos nuevos amigos. ¡Si no, necesitaría
un camión entero de pastillas de valeriana!

–¡Mis queridos monstruos! –decía Max entre risas,
tan contento como no lo había estado desde hacía mucho.
Y prometió regresar al día siguiente.

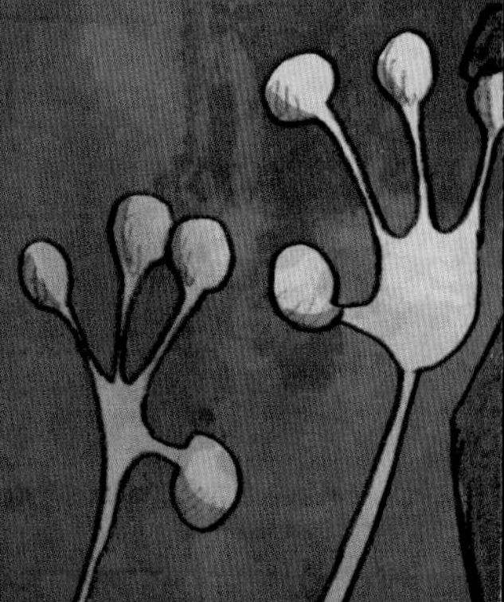

¡RIIIIIIIIII

¡EL TREN FANTASMA DEBE DESAPARECER!

Max apenas pudo contener la impaciencia
hasta que finalmente sonó el timbre del colegio.
Quería ir derecho al tren fantasma.
Por seguridad, le había contado a su madre una mentira:
le había dicho que aún tenía que hacer unas compras
para preparar el regalo de cumpleaños de Dola.

Cuando Max llegó junto a la verde construcción de la feria, reparó en un hombre no muy alto, pero robusto, vestido con traje de motorista. Seguía llevando puestos el casco y unas gafas oscuras. El hombre dio dos veces la vuelta a la caseta del tren fantasma y probó si se abrían las puertas. Para asombro de Max, estas estaban cerradas con candados y maderos. ¿Es que los monstruos ya no estaban allí? ¿O los había encerrado alguien? ¿Los había capturado Karla Kätscher? Malhumoradamente, el hombre del traje de cuero le dio una patada a la pared de madera del tren fantasma y maldijo en voz baja. Después, se metió las manos en los bolsillos del pantalón y se fue de allí pisoteando con rabia. Unos segundos después rugió una moto, que pasó rápida junto a Max. ¿Quién era? ¿Qué querría hacer aquí?

Estaba Max haciéndose estas preguntas cuando acudió otro hombre en traje de faena y pegó en la pared de la caseta este cartel blanco:

EGON CABEZAVERDE
CONSTRUYE AQUÍ UN APARCAMIENTO
SUBTERRÁNEO DE 700 PLAZAS.
EC CONSTRUCCIONES

Max tragó saliva. Eso era terrible.

–¿Cuándo… cuándo van a empezar las obras?
–preguntó alterado al hombre.

Mientras alisaba el cartel, este dijo:

–Pasado mañana derribarán la caseta
y luego empezarán con ellas.

Max se movía nervioso de un lado a otro.

–Pero… pero… ¿cómo puede hacer eso
el señor Cabezaverde? –inquirió.

–¡Pues porque el viejo compró esto hace un año!
–respondió el del cartel.

–¿Está seguro de que el derribo va a empezar
ya pasado mañana?

El hombre movió la cabeza:

–Del todo. Es verdad que al viejo Cabezaverde
aún le falta la autorización del alcalde,
pero la obtendrá, no cabe duda.

Max se alejó de allí arrastrando los pies
mientras le asaltaba una vorágine de pensamientos.
¿Debía comunicar enseguida a los monstruos
esta noticia aterradora? ¿Adónde se irían todos?

Egon Cabezaverde… A Max le sonaba ese nombre.
¡Pues claro! El admirador de Dola también se llamaba así.
Sin duda era hijo del viejo Cabezaverde.
Pero ¿no había también unos almacenes Cabezaverde,
una floristería Cabezaverde y varias heladerías Cabezaverde?
Media ciudad parecía pertenecer a este hombre.

Max no tenía ni idea de cómo podría entrar
en el tren fantasma, tan cerrado. Golpeó en la madera
y esperó. Calma total. Volvió a llamar,
golpeando más fuerte.

–¡Hola!… ¡Soy yo, Max! –dijo en voz baja.

–¡Hola! –oyó que decía Lucila–. Por favor, entra por donde hay que entrar.

Max no comprendió.

–Y eso, ¿por dónde es?

–A unos pasos de distancia verás la tapa de una alcantarilla. Levántala y baja por ahí. El camino llega hasta aquí.

Sonó algo detrás de él. Max se dio la vuelta y vio cómo se abría el camino de la tapa de una cloaca y asomaba la cabeza de Frankesteinete.

–¡Venga usted! –le indicó.

Max descendió detrás de su nuevo amigo
y aterrizó en una apestosa alcantarilla por la que fluía una sopa parduzca. Frankesteinete lo condujo por una estrecha pasarela hasta un empinado conducto de hormigón que llevaba hacia arriba. Abrieron una trampilla y desembocaron en el tren fantasma.

–Normalmente entramos por ahí –explicó Frankesteinete–. Sin embargo, ayer hubo hombres en la alcantarilla, por lo cual tuve que abrir la puerta.

En el tren fantasma, Mombo Momia estaba en ese momento ocupada con sus vendas y Lucila mordisqueaba aburrida una vieja llave inglesa.

Amadeo Licántropo estaba de nuevo tranquilo y pacífico, y con una lima de ebanista se afilaba las largas garras. Zerbi, el cancerbero tricéfalo, probaba tres galletas para perros diferentes, y Nesina se rascaba en la bañera. Boris y Piecete jugaban al fútbol. A Max le dio un escalofrío al darse cuenta de que estaban utilizando como pelota una cabeza reducida. Draculín leía un libro titulado *Labios rojos como la sangre.*

–Yo... tengo que deciros algo espantoso –empezó a decir el chico–. ¡Pasado mañana van a derribar vuestro tren fantasma! ¡Piensan construir un aparcamiento!

–¿Qué? –tras un angustioso segundo, las nueve monstruosas figuras se pusieron a discutir acaloradamente.

Lucila suspiró:

–¡Quieren arrebatarnos nuestro hogar!

El morro redondo de Nesina cobró la forma de una macabra sonrisa y dijo:

–¡Les daré tal susto que se arrepentirán de haberlo intentado!

Las tres cabezas de Zerbi estaban, como siempre, en desacuerdo.

–¡Morderé al que ponga aquí los pies! –dijo la cabeza 1–. ¡Ladraré de tal modo que se les caerán las orejas a todos! –dijo la cabeza 2–. ¡Y yo le mearé a todo el mundo en las piernas! –dijo la cabeza 3.

Draculín se relamió los afilados colmillos y chasqueó los labios de gusto:

–Pues que vengan, que ya hace tiempo que no como nada.

A Amadeo Licántropo también le entró hambre enseguida, y eso que ya no había luna llena. A Boris, del susto, le saltaron chispas de las tuercas del cuello y enseguida volvió a producírsele un cortocircuito que le hizo temblequear y vacilar. Mombo Momia se quitó las gafas de sol y amenazó con echar mal de ojo. A Piecete le dio el gran tembleque en los dedos y, de un salto, buscó refugio en las manos de Frankesteinete. Frankesteinete se quedó mirando a su alrededor, bastante desconcertado.

–Nosotros... ¡tendremos que volver a huir! –dijo desanimado–. Aquí ya no estamos seguros. ¡Necesitamos un nuevo refugio! A unos cien kilómetros de aquí se encuentra otro viejo tren fantasma abandonado...

Max agitó vehementemente los brazos.

–¡No, no...! ¡Tenéis que quedaros aquí!

A Frankesteinete se le ensombreció el rostro.

–Max, eso me parece imposible. Si los trabajadores de la construcción nos descubren, esto será el infierno. Tendremos a media ciudad detrás de nosotros, y seguro que no tardará en aparecer Karla Kätscher. El tren fantasma nos protegía. ¡Sin él, estamos perdidos!

Max lo veía claro, pero no tenía ganas de perder a sus atípicos amigos.

–¡El aparcamiento subterráneo no debe construirse! –concluyó–. ¡Lo evitaremos!

–Pero ¿cómo? –preguntaron a coro los monstruos.

Max puso una sonrisa apurada mientras se pasaba los dedos por la cabeza.

–E... este... Tampoco yo lo sé, pero... pero ya se me ocurrirá algo –prometió.

Draculín, Zerbi, Amadeo Licántropo y Mombo Momia también eran partidarios de defenderse.

Max ya se imaginaba lo que los tres entendían con eso. Los otros cinco monstruos se manifestaron en contra, pero no sabían qué hacer.

Max tuvo que volver a despedirse estúpidamente. Seguro que su madre ya le esperaba impaciente con la comida. Pero prometió recapacitar y regresar. ¡Y cuanto antes!

¡AHÍ VAMOS, SEÑOR CABEZAVERDE!

La puerta de la entrada estaba abierta y por el vestíbulo le llegó a Max la voz de su hermana:

–Hola, Egon... ¡Soy yo, Dola! –Max se detuvo a escuchar.
Dola conversaba por teléfono con su noviete–.
Mi madre se ha ido un momento a traer la ensalada,
por eso te estoy llamando. Escucha,
me ha dado permiso para ir esta tarde al cine...
¿Qué? ¿A nadar a tu chalet? ¿Una fiesta en la piscina?
¡Pues claro que iré!... ¡A las seis estaré ahí!... Ya...
No te preocupes, que tu padre no se enterará.
Que no llame... ¡Eh!, ¿es que él también estará?
–la voz de Dola no sonaba muy contenta–.
Pues si está entretenido y no molesta...
–entonces Dola soltó una carcajada–. No, no temas,
claro que no tengo que llevarme al canijo. ¡Y si tuviera
que hacerlo, lo encadenaría a la primera farola!

Max había escuchado bastante. La suerte le sonreía.
Ya sabía exactamente lo que había que hacer.
Por una vez, por fin, Dola iba a servir para algo.
Le permitiría llegar hasta el señor Cabezaverde.

Max pisó con fuerza y gritó «¡Hola!» para que Dola pensara que acababa de llegar a casa.

–¡Un besito, hasta esta tarde! –susurró la hermana mayor al teléfono, y colgó rápidamente–. Buenas, canijo –saludó a su hermano–. Se te ve muy alterado. ¿Te has vuelto a encontrar a un perro infernal de dos cabezas viniendo a casa?

–¡No, que tenía tres, y unas ganas enormes de comerse a una pava como tú! –gruñó Max.

Antes de que Dola se le echara encima, él había desaparecido en su habitación y se había encerrado. Solo se atrevió a volver a salir cuando la señora Müller regresó a casa con la ensalada.

Después de comer, mientras fregaba los platos
con su hermana, dijo como sin venir a cuento:

–Tengo entendido que tu admirador, ese Egon,
vive en un chalet impresionante, pero no lo creo.
Le pega más vivir en una perrera.

A Dola volvió a ponérsele la mirada de matar.

–El padre de Egon es uno de los hombres más ricos
de la ciudad. Tiene una casa de ensueño
en el barrio donde viven todos los ricos y los famosos.
¡En la calle del Sol!

Max se rió para sus adentros y pensó: «Gracias,
eso era precisamente lo que quería saber».

Nunca como aquel día terminó tan pronto sus deberes. Cometió a propósito algunas faltas para que su madre estuviera más tiempo corrigiendo. Y así, mientras ella repasaba los cuadernos, a Max le dio tiempo a sacar del armario, sin ser visto, algunas bufandas, sombreros, gafas de sol, pañuelos y chaquetas, y a llevarlos a su habitación. Necesitaba todo aquello para su plan.

Más tarde, escuchó pacientemente la reprimenda de su madre:

–¡Hay que hacer mejor los deberes!

Max prometió enmendarse y aprovechó para anunciar que quería seguir preparando el regalo de cumpleaños de Dola... ¡Por supuesto, con la llave echada!

Eran ya las cinco cuando Max quitó deprisa las sábanas de su cama y echó sobre ellas la ropa que había reunido. Hizo un hatillo, lo lió y lo bajó por la ventana junto con su monopatín. Ya se disponía a bajar por ella cuando sonó el timbre de la puerta de la casa.

–¡Max, haz el favor de abrir, que estoy en el baño! –gritó su madre.

El chico fue corriendo al vestíbulo y abrió de golpe la puerta. Al otro lado estaba la señorita Elsa, que vivía en el piso de abajo.

–Hola, Max. ¿Está tu madre? –preguntó.

–¡En el baño! –fue la breve respuesta.

Max ya iba a cerrar la puerta, pero la señorita Elsa era testaruda.

–¿Y Dola? ¿Puedo hablar con ella?

–Que no, que ya se ha ido al cine.

–Está bien, también te lo puedo decir a ti –dijo la mujer condescendiendo.

Max retorció el gesto, porque ella le trataba como a un imbécil.

–Hoy salgo de viaje para Sudáfrica, porque voy a trabajar allí un año en un hotel. Tu madre ha prometido regarme las flores, y solo quería traerle las llaves del piso.

Max se las quitó de las manos.

–¡También me las puede dar a mí! ¡Buen viaje y adiós! –plaf, no había acabado de decirlo y ya le había dado con la puerta en las narices a la vecina.

–Max, ¿quién era? –quiso saber su madre.

–¡La señorita Elsa! –exclamó el chico–. ¡Y si no sigo preparando el regalo de Dola, nunca estará listo!

Su madre sonrió. ¡Qué cielo de hijo,
que le preparaba un regalo a su hermana!

–Ya no te molesto más, seguro –prometió–.
Además, papá y yo nos vamos al teatro.
¡La cena la tienes en el frigorífico!

Max pegó un brinco de alegría, pero, por suerte,
se acordó de que no le gustaba quedarse solo en casa.

–Esto… ¿Cuándo viene Dola?
–preguntó con miedo fingido.

–Hacia las nueve, pero a esa hora quiero
que estés ya en la cama, ¿entendido?

Max sonrió maliciosamente.

–Sí, sí, mamá, entendido –susurró.

Y se metió en su cuarto y cerró.
¡Ya eran las cinco y diez!

En un tiempo récord, Max se lanzó en su monopatín
hasta el tren fantasma. Miró hacia todas partes
para cerciorarse de que no le observaban,
y a continuación bajó por la tapa de la alcantarilla
al camino subterráneo. Detrás de él,
como si fuera un saco,
arrastraba el abultado fardo de ropas.

–¡Soy yo de nuevo! –saludó a sus amigos.

Esta vez iluminaron el lugar siete lámparas
de petróleo.

–¡Tengo un plan!
–anunció Max.
Los monstruos
le miraron
expectantes–.
Atended:
sé dónde
vive ese
señor Cabezaverde que quiere construir
el aparcamiento subterráneo.
Propongo que tres o cuatro de vosotros vayáis donde vive
y le propinéis un susto diabólico. Debéis darle tal impresión
que prometa que nunca construirá el aparcamiento.

Los monstruos volvieron a lanzar sus alaridos,
lo que significaba: «Estupendo».

–Para que nadie os descubra por la calle, he traído ropa.
¡Podéis disfrazaros con ella!

Frankesteinete elogió a Max por la idea y preguntó:

–Pero ¿quién de nosotros va a ir a casa
del señor Cabezaverde?

Max señaló a Zerbi, a Amadeo Licántropo, a Lucila
y a Boris. Nesina y Mombo Momia no estaban de acuerdo.

–¡Nosotros damos más miedo! –dijeron.

–¡No hay tiempo para discutir! –dijo Max atajando la conversación–. ¡No tengo bastantes disfraces para vosotros!

Y el chico lió apresuradamente con una bufanda dos de las cabezas de Zerbi, que quedó como un perro corriente que tuviera una fuerte inflamación de garganta. A Amadeo Licántropo le bastó con un sombrero y un abrigo para que quedara como una especie de persona. Lucila se puso un pañuelo en la cabeza y la bata de la madre de Max, y lo demás (el sombrero de su padre, una bufanda, un abrigo y unas gafas de sol) fue para Boris.

–Tenemos que darnos prisa; si no, conectarán el sistema de alarma y no entraremos en la casa –los apremió Max.

Como todavía era el mes de marzo, a las seis ya era casi de noche, circunstancia que ayudó al extraño grupo. Al abrigo de la oscuridad, avanzaron sigilosos por las calles hacia la del Sol, que afortunadamente no estaba lejos de la feria.

Dos oscuras sombras venían detrás, silenciosas e inadvertidas, pisándoles los talones...

TERROR EN LA NOCHE

Eran más de las siete y media cuando los monstruos
y Max llegaron junto a la alta y negra verja de hierro forjado
que cerraba la propiedad de Cabezaverde.
La gran puerta de la entrada estaba abierta
y no se divisaba a nadie por ningún lado.
Max echó una ojeada alrededor.
¿Podía fiarse de aquella calma?

–¡Eh!... ¡Hola! –exclamó tímidamente. No hubo respuesta:
buena señal–. ¡No hay peligro a la vista!
–susurró a sus amigos–. ¡No hagáis ruido!

La cabeza número 1 de Zerbi gruñó ahogadamente
bajo la bufanda:

–¡Con esta maldita lana envolviéndome,
no me queda más remedio que cerrar la boca!

El grupito se encaminó por el sendero de grava
hacia el blanco chalet, que estaba iluminado por multitud
de reflectores. A la derecha de la magnífica casa,
Max distinguió una piscina cubierta con altos ventanales.
Por ella se veía alborotar a algunos chicos y chicas
de la edad de Dola. A su hermana no la vio.

A la izquierda del chalet, todas las ventanas
estaban iluminadas. Por una vio a un hombre bastante alto
y fuerte que, sentado tras un escritorio,
hablaba por teléfono de espaldas a la ventana.

La puerta artesonada que daba paso al chalet
estaba abierta para que entraran los invitados.
Max subió cuatro escalones y tuvo que apoyarse
en la barandilla. Notó cómo el corazón
le latía alocadamente.

Volvía a tener miedo.
Pero esta vez no iba a dejarle en la estacada.
Por la rendija de la puerta, echó un vistazo
al bien iluminado vestíbulo.
Solo unos pasos más y habrían llegado a su destino.
Pero había perdido toda confianza.
El valor se le había ido del todo.

–¿Qué te pasa, chiquillo? –preguntó Lucila mientras
se relamía a la vista del picaporte metálico de la puerta.

–Yo… eh… yo… es que… ya no tengo… valor
–confesó Max.

–Pues ni falta que te hace –dijo Amadeo Licántropo–.
Del resto nos ocupamos nosotros. Tú espera aquí.
¿Quieres que te traigamos un trozo de ese pajarraco?
¿Pechuga o muslo?

Max rehusó, horrorizado.

–¡No tenéis que coméroslo, solo espantarlo!

A Amadeo Licántropo le dio mucha pena, pero accedió. Sin asustarse, fue el primero que puso el pie dentro de la casa, y los demás le siguieron los pasos.

–¡Eh, los disfraces! –siseó Max. Los monstruos habían olvidado quitárselos. Max quiso seguirlos para advertírselo, pero no llegó a hacerlo.

–¡Huuuuaaaa! –retumbó una voz detrás de él, y alguien lo agarró del hombro.

El chico se llevó tan enorme susto, que perdió el equilibrio y rodó por las escaleras de la entrada. Se dio un fuerte golpe en la cabeza y, de pronto, a su alrededor todo era silencio y oscuridad.

Al mismo tiempo, Amadeo Licántropo, Lucila, Boris y Zerbi habían llegado a la puerta del despacho del señor Cabezaverde. Se oía la voz tajante de este hombre, que rugía al teléfono:

–¡Es usted un imbécil que no tiene ni idea de publicidad! ¡Así que iba a dar la gran sorpresa para mis almacenes! ¡Que la gente iba a acudir en tropel! ¿Y qué es lo que me propone? ¡Una fiesta de personajes de cuentos de hadas! ¡Hoy con eso no atrae usted ni a los abuelos del asilo...! ¿Qué?... ¿Que hoy mismo me manda otra propuesta?... ¡Pues ya la espero!

El señor Cabezaverde colgó el auricular, a continuación lo descolgó y marcó otro número.

–¡Oiga usted, abogado tontaina! ¿Dónde está el documento que debía firmar el alcalde para que pueda construir de una vez mi aparcamiento subterráneo?... ¿Qué?... ¿Que lo tengo encima del escritorio? ¡Entonces se habrá perdido!... ¿Cómo? ¿Que ha firmado? ¿Podemos empezar pasado mañana? ¡Escuche: como no pueda construir allí mi aparcamiento, ese terreno ya no valdrá un euro!... Ajá... Que el alcalde ha hecho una anotación en el documento... Que la lea... ¡Voy a ver! –de nuevo colgó el auricular y se oyó un frufrú de papeles.

–¡A él! ¡A rugir! –ordenó Amadeo Licántropo.

Los cuatro monstruos se levantaron todo lo altos que eran y asaltaron el despacho. Rugieron, chillaron y bramaron, y al señor Cabezaverde el miedo le hizo deslizarse por su grueso y mullido sillón hasta el suelo. Poco a poco volvió a asomar la cabeza por encima de la mesa.

–¿Quiénes diablos son ustedes? –bramó cuando se hubo repuesto.

–¡Somos los monstruos! –rugieron a coro los cuatro.

Lo que siguió no lo entendieron en absoluto las fantasmales figuras: al señor Cabezaverde no le dio ningún ataque de miedo, sino una risa convulsiva.

–¿Que ustedes son monstruos? –dijo entre risitas–. ¡Unos graciosos es lo que son! ¡Los mejores que jamás he visto! ¡Ja, ja, ja!

Entonces se dieron cuenta los cuatro monstruos
de que aún llevaban puestos los disfraces.
Rápidamente se despojaron de su ropa y se plantaron
delante del señor Cabezaverde. Amadeo Licántropo
levantó las garras amenazadoramente, Lucila trituró
con los dientes un abrecartas, Zerbi lanzó llamaradas
por sus tres bocas y Boris vacilaba mientras retumbaba
su voz.

El señor Cabezaverde se achicó de pronto
y fue a refugiarse detrás del escritorio.

–Esto… Retiro lo de que son graciosos… Ustedes…
están ustedes de miedo… Realmente espeluznantes…
Debe de haberlo enviado Heini, al que iba a ocurrírsele
un anuncio sorprendente… ¡Genial idea!
Je, je… ¡Vengan ustedes, les diré enseguida
lo que tienen que hacer!

Amadeo Licántropo, Zerbi, Lucila y Boris
se quedaron de piedra. El hombre no se asustaba.
Ni siquiera habían podido decir lo que querían.
¿De qué estaba hablando? No pudieron ni seguir pensando,
porque el señor Cabezaverde los empujó
hasta otro cuarto mientras les hablaba
como una ametralladora.

Pero ¿qué había sido de Max?

¡TODO SALE MAL!

Max abrió los ojos.
Le zumbaba la cabeza como una colmena de abejas.
Pero sentía otra cosa: algo blando y cálido
que le restregaba la cara una y otra vez.
Max volvió la cabeza y vio las fauces de... Nesina,
que le estaba lamiendo. Junto a ella estaba Mombo Momia,
que le contemplaba con preocupación.

–Perdónanos, Max. No queríamos asustarte
–susurró Nesina.

–¿Cómo habéis llegado hasta aquí?
–preguntó el chico, extrañado.

–¡Os hemos seguido porque no queríamos quedarnos en el tren! –le explicó Mombo Momia–. La inactividad no es lo mío. Me gusta tener los asuntos en mis vendadas manos.

El chico se incorporó entre gemidos.

–¿Y los demás?... ¿Siguen dentro? –Nesina y la momia asintieron con un gesto–. ¡Pero aún tienen puestos los disfraces! ¡Debéis decírselo; si no, el señor Cabezaverde nunca se asustará!

Mombo Momia prometió ir enseguida tras los monstruos y desapareció.

Al entrar en la casa, notó un silencio sepulcral.
Pero ¿dónde estaban los demás? Mombo Momia se volvió
y decidió asomar la cabeza por la única puerta
que estaba abierta. Miró al despacho del señor Cabezaverde.
No había nadie. Mombro Momia dio la vuelta al escritorio
y revolvió un poco en los papeles,
que salieron volando. Entonces cayó en sus manos
una carta con un precioso membrete en el que ponía:
El Alcalde. Por supuesto, Mombo Momia leía bien
los jeroglíficos, pero las letras modernas
se le resistían bastante. Sin embargo, las primeras palabras
de la carta hicieron que continuara con el tormento
de leerla toda, letra a letra.

Muy estimado señor Cabezaverde:
Como alcalde de la ciudad, me felicito de la construcción
del aparcamiento subterráneo en el borde de la feria
y le concedo la autorización correspondiente.
Puede usted proceder de inmediato
a derribar la caseta del tren fantasma.

Mombo Momia se levantó las gafas de sol lenta, muy lentamente. Sus pequeños ojos verdes proyectaron sobre el papel dos rayos finos y muy luminosos.
Tres segundos más tarde, volvió a dejar caer las gafas ante los ojos y colocó la carta en su sitio.

Fue justo a tiempo. La puerta que daba al otro cuarto se abrió de golpe y el señor Cabezaverde regresó con los monstruos.

–¡Ah! ¡Y otra cosa más! –gritaba jubiloso el señor Cabezaverde–. ¡Si queréis trabajar para Egon Cabezaverde, chicos, acostumbraos a ser puntuales!
Y ahora, hasta la vista. Espero vuestra llamada.

Y apretando una de sus tarjetas de visita
contra la zarpa de Amadeo Licántropo,
empujó a los cinco hacia la salida.

–¿Qué... qué pasó? –preguntó alterado Max
mientras sus amigos bajaban por las escaleras.

Ahora las cabezas de Zerbi fueron unánimes:

–¡Nos hemos llevado un chasco! Ese hombre nos toma
por gente disfrazada. ¡Quiere que actuemos
en sus almacenes como reclamo publicitario!

Max suspiró profundamente. Su plan no había resultado.
¿Y ahora qué?

Estaba aún cavilando cuando estallaron gritos en la noche.
Max se dio la vuelta y vio cómo se abrían de golpe
las puertas de cristal del edificio de la piscina y los chicos,
empapados, se precipitaban al frío exterior. Entre ellos
también distinguió a Dola, que se agarraba a Egon hijo
y chillaba histérica. Detrás de ellos, en la piscina,
Nesina chapoteaba contenta.
Se había ido con su contoneo derecha a la piscina cubierta
porque no podía pasar al lado del agua
sin desfogarse metiéndose dentro.

Amadeo Licántropo silbó ayudándose de las zarpas,
a lo que Nesina salió disparada del agua y,
con andares de foca, llegó hasta sus amigos.

–¡Salgamos deprisa! –ordenó Max,
que veía venir la catástrofe.

Por la calle llegaban al encuentro de Max y sus amigos
siete liebres de Pascua motorizadas. Parecía tratarse
del nuevo reclamo publicitario que había prometido
aquel hombre al teléfono.

—De esos no nos libramos —se lamentó Max.

—¡Ahora mismo lo veremos! —dijeron los monstruos.

Lo que vino después fue más espantoso que cualquier película de terror. Los que iban metidos en sus disfraces de liebre pascual vieron primero a una momia que, surgiendo de la oscuridad, avanzaba hacia ellos vacilando. Llevaba los brazos extendidos hacia delante y las manos le colgaban. Sus ojos volvían a lanzar finos rayos verdes, que acertaron a los neumáticos de las motos y los hicieron reventar.
Detrás de Mombo Momia iba Boris, que había encendido toda su iluminación.
A este le siguió Lucila, que se comió a mordiscos los retrovisores de las motos, triturándolos ruidosamente en la boca.

Aún no se habían repuesto de todos estos sustos las liebres motoristas cuando apareció Zerbi. La cabeza 1 ladró, la 2 aulló y la 3 gruñó. Y por fin, entre gritos, las falsas liebres pusieron pies en polvorosa.
Solo Amadeo Licántropo se quedó atrás.

–¡Me gustaría... un... un poco de...!
–y relamiéndose de gusto las fauces, miró con ojos ávidos a Max–. ¿No querrías tú también convertirte en lobo todas las noches de luna llena?

Max rehusó la oferta y comenzó a sudar.
Amadeo Licántropo lo siguió. Max corrió todo lo deprisa que pudo. Horrorizado, divisó el redondo disco de la luna que había aparecido entre las nubes.
¿Habría luna llena?

Amadeo Licántropo era más veloz que él.
Max sintió pronto en su cuello el aliento húmedo y jadeante de Amadeo.

–¡No, nooo! –gritaba Max.

¡EL SIGUIENTE SUSTO!

Las piernas de Max volaban sobre la gravilla.
Tras él oía el pisar rítmico y el jadear de Amadeo Licántropo. Una y otra vez, Max conseguía aumentar ligeramente su ventaja, pero de pronto le dio una punzada en el costado y tuvo que detenerse. Gimiendo, se llevó la mano a la cadera y trató de coger aire. Ya había surgido el licántropo junto a él y lo agarraba con ambas zarpas. Acercó al niño a sus peludas fauces. Max notó que le tocaba la mejilla y que el monstruo abría su bocaza. Le dio asco, porque a Amadeo Licántropo le olía bastante mal el aliento. Aquella peste le recordaba el olor de la carne podrida.

Max retiraba la cabeza, pero Amadeo Licántropo
se le acercaba más y más. Max quiso decir algo,
pero sus labios no lograron articular palabra.
Así que cerró los ojos y esperó el horrible mordisco
que había de transformarlo en licántropo.

Pero no se produjo. En vez de eso, Amadeo Licántropo
le murmuró al oído, apurado:

–E... espero que me perdones este pequeño... eh...
desliz... y, por favor, no digas nada a Frankesteinete
ni a los demás. Si no, volverán a encerrarme.

Max abrió del todo sus sorprendidos ojos y gesticuló
afirmativamente con un lento movimiento de la cabeza.

Nesina regresó y le propuso a Max que se le subiera
al lomo para llevarlo. El chico agradeció la invitación.

Cuando llegaron junto al tren fantasma, ya eran poco más de las nueve. Max debía ir a casa a toda prisa. ¿Y si Dola ya estuviera allí y hubiera notado que él no estaba? Amadeo Licántropo le pasó a Max la tarjeta de visita del señor Cabezaverde y el chico se despidió.

–Pensaré en otra cosa... Porque lo de hoy... ¡Vaya planchazo!

Otra vez volvió a llegar a casa justo a tiempo. Dola llegó cinco minutos después que él, y sus padres, media hora más tarde. ¡Qué tranquilamente dormía el pequeño! Pero, en realidad, Max estaba dándole vueltas febrilmente a qué podría hacer. Y es que, en cierto modo, todo aquello era demasiado para él. Hasta dos días antes, su vida había transcurrido aburrida y sin amigos. ¿Y ahora? Ahora, cada minuto surgía una sorpresa. ¿No era para volverse loco?

«¿Qué podría hacer yo para que no destruyan el tren fantasma?». Con ese pensamiento en la cabeza, Max se quedó dormido.

En el desayuno, Max reparó en lo pálida que estaba
su hermana mayor. Seguro que era por el susto
que se llevó en la piscina cubierta.
«Te está bien empleado», pensó Max alegrándose.
Y eso que Nesina era el más inofensivo de los monstruos.

–Mamá, un chico de mi clase va esta tarde al pueblo
de al lado y me ha invitado a acompañarlo
–empezó Dola.

Su madre arrugó el ceño.

–¿Quién es el chico y qué va a hacer en el pueblo
de al lado?

–Se llama Egon Cabezaverde, y su padre es el dueño
de los almacenes Cabezaverde. Por cierto,
que viene con nosotros. Es que está invitado
a la inauguración de una especie de circo.
Es el circo de los monstruos de Karla Kätscher,
que dicen que va a ser un espectáculo fenomenal.

–Pues bueno; si va el señor Cabezaverde en persona,
no hay nada que objetar. ¡Pero tened cuidado!

El nombre de Karla Kätscher le hizo a Max
el efecto de un rayo. ¡Sus amigos corrían el mayor peligro!
¿Estaría de nuevo tras la pista de ellos?
¿Habría descubierto el escondite del tren fantasma?

–Mamá, ¿puedo ir yo también? –preguntó enseguida.

Debía ver a la tal Karla Kätscher. Por debajo de la mesa,
Dola le arreó una patada en la espinilla.
Pero a la señora Müller le gustó la idea.

–¡Solo irás si tu hermano puede ir contigo! –dijo.

La hermana mayor puso los ojos en blanco.

–Tengo que preguntárselo a Egon.

Por la tarde, Max pudo ver de nuevo a sus amigos en el tren fantasma.

El anuncio de lo de Karla Kätscher cayó como una bomba. Hasta estos monstruos, que hacían temblar a todo el mundo –incluso al mismísimo Cabezaverde–, flaquearon.

–Espero que esta noche me dejen ir y pueda enterarme de algo –dijo Max tratando de tranquilizarlos. Pero de nada sirvió. Ya al día siguiente debían acudir las excavadoras. No había esperanza.

Max corrió a casa, donde ya lo estaba esperando Dola.

–Gracias por haberme fastidiado la noche –le dijo hecha una fiera–. Puedes venir, pero cuidado con pegarte a mis faldas. ¡No quiero ni verte ni oírte, canijo!

A las seis se detuvo ante la casa un deslumbrante coche azul. Un chófer uniformado se apeó y abrió la puerta trasera del automóvil a Max y Dola. Había allí dos filas de asientos tapizados en piel en los que los pasajeros podían colocarse frente a frente. En una de ellas estaban sentados los Egon, padre e hijo, y en la otra se acomodaron Max y su hermana. Los dos mayores dieron a entender al pequeño que su presencia no era grata, y no le dirigieron la palabra.

El señor Cabezaverde se dio cuenta
y trató de ser condescendiente.

–Bueno, chico, ¿vas ya al colegio?

A Max se le erizaron los pelos rubios.

–Sí –refunfuñó.

–¿Y a qué te gusta jugar?

¡Lo que más me gusta es jugar con monstruos! –fue la respuesta de Max–. ¿Costó muy caro el tren fantasma? –quiso saber Max.

El señor Cabezaverde sacudió la cabeza.

–Qué va, lo compré por cuatro céntimos. Pero el terreno valdrá millones cuando el alcalde autorice la construcción de mi aparcamiento subterráneo.

Max aguzó los oídos.

–¿Aún no ha llegado la autorización?

Al señor Cabezaverde le sentó mal la pregunta.

–Ejem… Parece ser que sí…, ¡pero no la encuentro!

Max respiró aliviado. Al menos tenía la esperanza de que se retrasara el comienzo de las obras.

–¿Y cómo es que te interesa eso?

Max torció el gesto.

–Este... ¡A Dola se le dan fatal los videojuegos!
–dijo, cambiando de tema con rapidez.

La carpa donde tenía lugar el espectáculo de los monstruos era de un verde chillón, y sobre ella flotaban monstruos inflados que representaban a King Kong, Nessie y el monstruo de Frankenstein. Estaban iluminados por proyectores y su aspecto era un poco menos horripilante. A las siete y media en punto se apagaron las luces del circo, empezó a retumbar una horrible música de órgano y sobre el telón danzaron unos fuegos fatuos.

¿QUÉ HACER CON KARLA KÄTSCHER?

En el escenario apareció una mujer bastante flaca y alta. Llevaba el pelo moreno recogido en un apretado moño y el cuerpo embutido en un estrecho vestido que parecía la piel de una serpiente. De los hombros le colgaba un abrigo que tenía la forma de una telaraña de color verde veneno. ¡Era Karla Kätscher!

La mujer saludó al público deseándole un entretenimiento espantoso. Como Max estaba sentado en primera fila, vio que sus ojos eran pequeños y penetrantes. Los labios se los había pintado de negro, y seguro que jamás había sonreído: sus rasgos eran duros como la piedra. Max entendió el motivo por el que hasta los monstruos tenían miedo de esa mujer.

Sin embargo, lo que a continuación se ofreció no estremeció ni al miedoso de Max. Sobre el escenario evolucionaron entre tambaleos unos monstruos hechos de trapos viejos y cartón que aullaban con un triste «¡Uuuh, uuuh!». Cuando volvió a correrse el telón, fueron más los pitos que los aplausos. «¡Buuuuh!», vociferaron enfadados la mayoría de los asistentes.

En el descanso, el señor Cabezaverde dijo:

–¡Menuda imbecilidad! Propongo que nos vayamos a tomar una pizza. ¡Os invito! –Dola y Egon accedieron enseguida–. Este... ¡Un momento! Antes de partir, quisiera decirle unas palabritas a la propietaria de este chiringuito! –dijo súbitamente el señor Cabezaverde–. Tengo que preguntarle si los monstruos de ayer eran suyos. La agencia de publicidad Heini no me los envió y el jefe del grupo no me ha llamado –y salió con paso decidido.

Max le siguió.

La dueña del espectáculo estaba detrás de la carpa
fumando un cigarrillo encajado
en una larga y fina boquilla amarilla.

–¿Qué? ¿Yo, mandarle a usted monstruos
para un anuncio sorpresa? No fue cosa mía.
Pero ¿qué aspecto tenían las criaturas?
¡Tal vez me interesen!

El señor Cabezaverde iba a empezar a describírselos, pero Max se entrometió.

–Este… Yo… sé de quién son esos monstruos –dijo apresuradamente–. Los… ejem… los… alquila alguien.

El señor Cabezaverde miró sorprendido a Max.

–Muy interesante. ¿Y a quién tengo que dirigirme?

De tanto pensar, a Max le ardía la cabeza.

–Este… No sé cómo se llama el hombre, pero… pero…

De pronto se le ocurrió algo a Max.
Cuando se les estropeó el coche, papá había alquilado uno.
¿Por qué no iban a alquilar monstruos también?

–Es como una agencia que se llama… este…
¡Cía. de Alquiler de Monstruos!

La señora Kätscher inclinó hacia Max su pétreo rostro.

–¿Cía. de Alquiler de Monstruos? ¡No la conozco!

Max tembló de repente, pero gesticuló con vehemencia.

–Mañana le llamarán, señor Cabezaverde.
Conozco a alguien de allí y le diré que hable con usted.

–En un mes seré dueña de monstruos de verdad
–se jactó la señora Kätscher–. Nada de burdos engaños
a base de trapo y cartón. ¡Entonces le podré enviar
monstruos de verdad, vivos! Mi asistente, Adonis,
les está siguiendo el rastro. Ahora mismo
está buscando en Escocia a la hija del monstruo
del lago Ness. Me han asegurado de buena tinta
que tal monstruo existe, sin duda.
¡Espero un telegrama de Adonis de un día para otro!

El señor Cabezaverde no dio ningún crédito
a las palabras de aquella señora.

–Hasta la vista, y créame que no voy a recomendar
a nadie más su espectáculo –dijo sin miramientos
mientras se iba. Max no pudo contener las ganas
de sacarle rápidamente la lengua a la señora Kätscher.

A él, que siempre tenía ganas de comer pizza, aquel día
no le supo a nada. Quería volver a casa lo antes posible.
Y es que se le había ocurrido una nueva idea…

¿FUNCIONARÁ EL TRUCO?

Max entró como una bala en el salón,
donde sus padres estaban delante del televisor.

–Mamá, tienes... digo, tengo que bajar deprisa al piso de la señorita Elsa para regarle las flores. ¡Te lo prometí, y ya se me olvidó ayer!

Por suerte, estaban echando la serie preferida de sus padres por la tele.

Max corrió al piso inferior y abrió la puerta con la llave. Dentro, la oscuridad y el silencio eran totales. Max tragó saliva. Ahí estaba de nuevo, el miedo que nunca se le iba.

–Hola… ¡Voy a entrar ya! –dijo.

Recibió como respuesta un chillido prolongado y agudo. Procedente de la oscuridad, un ser negro se abalanzó sobre Max. Este, asustado, retrocedió vacilando.

Ante él, en el pasillo, estaba sentado un gato gordo, de piel manchada, que maullaba de hambre. Max respiró con alivio.

–¡La señorita Elsa no me había dicho nada de ti!
–entró en el piso y encendió la luz en todas las habitaciones. Atendió al gato, regó las flores y después cogió la guía telefónica.

–La señorita Elsa no se va a arruinar con esto
–dijo a modo de autodisculpa.

Buscó el número del servicio telefónico de envío de telegramas. Sabía dónde estaba porque su madre lo utilizaba a veces cuando una tía celebraba el cumpleaños.

Max se sacó del bolsillo un anuncio del espectáculo de los monstruos donde figuraban el número de teléfono y la dirección. Llamó a la oficina de correos y carraspeó. Su voz tenía que sonar grave.

–Querría enviar un telegrama a la señora Karla Kätscher
–gruñó su voz; a continuación dio la dirección, y por último leyó el texto–. «Venga enseguida a Escocia. He encontrado hija Nessie. Adonis».

Max solo podía esperar que la señora Kätscher no notara que el telegrama en modo alguno había sido enviado desde Escocia, sino desde donde él estaba.

–¿Llegará hoy mismo? –preguntó.

La señora al otro lado de la línea dijo que sí, y añadió:

–Por cierto, tiene usted la voz muy joven.

–Ejem… ¡Sí, sí…, eso me dicen a veces! –dijo Max con una risita apurada, y colgó deprisa el auricular.

A la mañana siguiente, salió para el colegio algo más temprano que de costumbre. Se dio una vuelta por el piso de la señorita Elsa y marcó el número del espectáculo de los monstruos. Al otro lado respondió una voz masculina particularmente hostil.

–¡Buenos días, debo hablar urgentemente con la señora Kätscher! –mintió Max.

–La jefa salió de viaje esta mañana temprano y no volverá hasta dentro de unos días. Yo me encargo de la reserva de entradas.

Max farfulló algo así como «¡No, gracias!» y colgó. Después agarró al gato gordo y se puso a bailar de alegría con él. ¡Lo había conseguido! ¡La señora Kätscher se había ido!

Pero al instante le vino a la cabeza otro pensamiento:
«¿Y si el alcalde da hoy la autorización
y empiezan a construir el aparcamiento?».

Las horas de clase que siguieron fueron las peores
de su vida. Max estuvo tan distraído que le llamaron
la atención tres veces. ¿Estarían ya las máquinas
de construcción en el tren fantasma?

Por fin terminaron las clases. Max salió volando
con su monopatín. Por el camino se encontró
con varios bulldozers y camiones que se dirigían a la feria.
¡Oh, no!

CÍA. DE ALQUILER DE MONSTRUOS

Allí estaban...

Ante Max surgieron la montaña rusa y la noria gigante. Enseguida llegaría allí. Pero también los bulldozers se dirigían al recinto. Ya enfilaban el acceso a la feria…

Max se bajó del monopatín y continuó despacio.
¡Bufff! Por poco se da contra un camión
que acababa de detenerse.
Había allí unas obras…
¡Pero no se trataba
del tren fantasma,
sino del autódromo!
Un cartel anunciaba
que iban a ampliarlo. 
Max se llevó su segunda alegría
del día y siguió corriendo
hacia el tren fantasma.
Allí seguía, intacto, y no se veía
por ningún lado ninguna máquina de construcción.
Se coló por la alcantarilla y enseguida se encontró
con los monstruos, que se habían reunido
en el cuarto principal.

–¡Creo que las excavadoras no vendrán hoy!
–fue el feliz mensaje que les llevó Max–. Al parecer,
el señor Cabezaverde no encuentra la autorización
del alcalde. ¡Si es que se la ha dado!

Mombo Momia se lió una de las tiras de tela
entre los dedos y dijo como si tal cosa:

–El alcalde dio la autorización. ¡Yo mismo vi la carta!

–¿Qué? –todos miraron espantados al monstruo egipcio.

–Pero –continuó Mombo Momia– le eché el mal de ojo
y enseguida cambió de aspecto la redacción.

–¿Cómo? ¿Cómo? ¿Cómo? –quisieron saber todos.

–Pues después la carta quedó así:
«Muy estimado señor Cabezaverde:
Lamento comunicarle que no puede usted construir
ningún aparcamiento subterráneo
en el recinto del viejo tren fantasma».

Los monstruos prorrumpieron en aullidos de alegría
y Max se unió a ellos.

–¿Por qué no nos lo ha comunicado usted antes?
–inquirió Frankesteinete.

–¡Porque estaba enfadado
por no poder acompañar
a los que fueron
a aquella misión!
–respondió
Mombo Momia.

–¡Un momento! –dijo Max, que veía venir otro problema–. A Karla Kätscher la he mandado a Escocia. El señor Cabezaverde estará furioso por no poder construir su aparcamiento, pero tal vez se encuentre con el alcalde y hablen. ¡Entonces se descubrirá el engaño y... construirá su aparcamiento!

Silencio y desconcierto.

–Es una lástima que el tren fantasma no sea nuestro –dijo como para sí Frankesteinete–. Si lo fuera, no tendríamos que preocuparnos más.

–¡El terreno en el que está vale millones! –suspiró Max–. ¿De dónde vais a sacar tanto dinero?

Los monstruos no tenían ni idea, así que habría que seguir pensando. Max se despidió, porque tenía que volver a casa sin perder tiempo.

En casa, Dola estaba sentada frente a la comida mirando melancólica a la sopa.

–¿Qué, por fin ha reconocido tu Egon lo plasta que eres? –preguntó Max con guasa.

–Cierra el pico, canijo, que estás más guapo –gruñó Dola–. Ahora su padre no le da permiso para nada porque está de mal humor. Por lo visto, anoche recibió una carta del alcalde en la que prohíbe la construcción del aparcamiento. Ahora dice que ha perdido millones, y que podría hablar de suerte si alguien le diera al menos unos cuantos euros por el maldito tren fantasma.

A Max le dio la risa. Tenía una idea estupenda. La verdad es que debería discutirla con sus monstruosos amigos, pero no había tiempo. El día antes, al chico se le había ocurrido por casualidad algo con lo que quizá pudiera ganar dinero.

–¿Te parece divertido que el señor Cabezaverde pierda tanto dinero? –bufó furiosa Dola.

Max se puso serio y dijo:

–No, muy triste. ¡Seguro que el señor Cabezaverde tendrá que vender su casa con la piscina cubierta y todo!

–¡Eh! ¿Cómo sabes que tiene una piscina cubierta?

–Este... eso oí una vez –la engañó Max.

Pero su hermana mayor lo miró con desconfianza:

–¿Me estás ocultando algo, canijo?

Max se ahorró cualquier comentario.

–¡Tengo que regar las flores y dar de comer al gato! –exclamó, y salió embalado.

En realidad, Max se proponía hacer otra cosa. Cogió de su habitación una cajita de plástico que le habían regalado en Navidad. Era una especie de saxofón electrónico en el que hasta el más burro podía tocar música. Pero aquel cacharro tenía algo muy útil: ¡un micrófono! Cuando alguien hablaba, la voz salía por el altavoz completamente desfigurada. Sonaba más grave y mucho más adulta. Justo lo que ahora necesitaba.

Max se sentó en el suelo del piso de la señorita Elsa y cogió el teléfono. Seleccionó en el aparato una voz especialmente grave, sacó la tarjeta de visita del señor Cabezaverde y marcó el número de su oficina. Respondió una secretaria, y Max dijo al micrófono:

–Por favor, querría hablar con el señor Cabezaverde. Dígale que soy de la Cía. de Alquiler de Monstruos.

Max oyó cómo a la chica se le cortaba la respiración. Después gritó hacia el cuarto de atrás:

–Jefe… Es de la Cía. de Alquiler de Monstruos. ¡Y desde luego, tiene voz de monstruo!

–¡Ya sé, ya sé, páseme la llamada!
–rugió el señor Cabezaverde desde atrás. Se oyó un clic y el jefe habló personalmente.

–¡Dígame! –gruñó al aparato.

–Aquí la Cía. de Alquiler de Monstruos –dijo Max con su voz más tenebrosa–. Tengo entendido que está usted interesado en nuestros monstruos, ¿no?

El empresario adoptó un tono más amable.

–Sí, los necesito para mis almacenes. Un día entero. ¿Cuánto cuesta eso?

Max lo había estado pensando mucho tiempo. Pero, sin duda, mil euros sería una barbaridad. Como la pausa se prolongaba, el señor Cabezaverde aulló:

–¡Escuche usted, no daré más de tres mil euros por esos fantasmas!

A Max casi se le cae el auricular de la mano.

–Esto..., ejem..., creo... que con eso podemos arreglarnos –logró soplar al aparato.

–Los monstruos han de estar en mis almacenes el viernes a las cuatro de la tarde. ¿Cómo va a ser el pago?

Max se acordó de que su padre solía decir: «¡Lo mejor es el dinero en mano!», así que dijo:

–¡Entregue el dinero directamente a mis monstruos!
–colgó, y necesitó algún tiempo para calmarse.
¡Tres mil euros!

Max se animó y seleccionó otra voz en su aparato.
Esta vez sonaba como la de una mujer chillona.
Volvió a marcar el número de la oficina
del señor Cabezaverde.

–¡Buenaaas, aquí Lotti Hubermüller! –se presentó–.
Tengo que hablar con el jefe urgentemente.
¡Es muy importante!

Por suerte, la secretaria no hizo preguntas,
sino que le pasó directamente.

–Hola, señor Cabezaverde. Tengo que preguntarle algo.
¿Sigue siendo usted el propietario del tren fantasma verde
de la feria?

El hombre refunfuñó algo
que sonó como un «sí».

–Me gustaría comprarlo, porque…, bueno…, porque… porque ¿sabe usted?… En fin… Naturalmente, no puedo ofrecerle demasiado.

Max oyó cómo el señor Cabezaverde recapacitaba intensamente. «Parece que este es mi día de suerte. Compré esa cochambre por seis mil euros. Y ahora puedo sacarle mucho más…».

–Digamos que… ¡por dieciocho mil euros es suyo!

Max tragó saliva.

–¿Es su última palabra?

El señor Cabezaverde gruñó malhumorado y después dijo:

–Está bien... ¡Doce mil!

Seguía siendo una increíble suma de dinero.
Max prometió volver a llamar próximamente y colgó.
Cuando pensaba en la suma de doce mil euros,
le daban mareos. Pero ¿qué decía a veces su madre?
«¡Donde hay voluntad, se abren los caminos!».

Max decidió que también aquella noche iría a ver
a sus amigos y a contárselo todo. Pero ¡un momento!
Una cosa seguía sin estar clara. ¿Quién había estado
en el tren fantasma tres días antes? ¿Era el mismo tipo
que más tarde volvió a merodear por allí, el que llevaba
el traje de motorista? ¿De quién se trataba?
Max decidió hablar de ello con los monstruos,
pero con la emoción volvió a olvidarlos. ¡Y eso fue malo!

¿QUIÉN QUIERE ENTRAR EN EL TREN FANTASMA?

Por suerte, al atardecer Max pudo volver a utilizar el truco del regalo de cumpleaños de Dola para escabullirse de casa.

–¡Traigo una noticia buena y otra menos buena!
–contó a sus amigos. Y empezó
con la de que el tren fantasma costaba una fortuna,
terminando con estas palabras–: ¿Pero qué os apostáis
a que podemos ganar ese dinero? Pondré este anuncio
en los periódicos: «Se alquilan monstruos».
Responderá un montón de gente. Podrán llamar
al teléfono de la señorita Elsa, que hasta tiene
contestador automático. Naturalmente, tendré
que cambiar las palabras que escucha el que llame.
¡Pero estoy seguro de que funcionará!
Claro que tendréis que tratar con gente.

–¿Tratar con gente? ¡Nunca! –Frankesteinete
hizo un gesto de rechazo.

–¡Pero si todo el mundo creerá que vais disfrazados!
–explicó el chico–. A nadie se le ocurrirá
que sois de verdad.

Los monstruos debatieron y finalmente accedieron.

–Por el momento no acecha ningún peligro –dijo Max–.
Y si nos esforzamos, pronto será vuestro
el tren fantasma. ¡Y entonces estaréis a salvo
de esa Karla Kätscher!

Este panorama les gustó mucho a los monstruos. Max se alegró. Ahora debía volver a casa rápidamente, antes de que su madre empezara a sospechar algo.

Cuando estaba saliendo por la escalera de la alcantarilla a la calle, la oscuridad era total. ¿Qué estaba pasando? Normalmente había una farola encendida.

–Haremos un agujero en la pared con la sierra. ¡Es la única posibilidad! –oyó decir muy cerca a una voz grave de hombre.

–¿Y si alguien nos ve? –preguntó una segunda voz, algo más aguda.

–¿Y quién nos va a ver? He estropeado la farola para que todo se quede a oscuras.

Max notó que la sangre le latía con fuerza en las sienes. ¡Alguien quería irrumpir en el tren fantasma! Permaneció inmóvil sobre la escalera de la boca de alcantarilla y dirigió la mirada hacia el lado del que venían las voces.

Distinguió las sombras de dos personas. Una era bastante baja y robusta, y la segunda, igual de baja, pero muy flaca. Ambas tenían cabezas anormalmente grandes.
«¡El motorista de ayer!», se le ocurrió a Max.
Claro, había sido el gordo. «¡Si por lo menos supiera qué buscan aquí!», reflexionó febrilmente Max. Los tipos habían sacado una sierra y estaban rajando la pared.
¡Tenía que avisar a sus amigos!

Max subió a toda prisa por el camino secreto y salió como una bala por la trampilla.

–¡Debéis poneros a salvo! ¿No oís que están abriendo la pared con una sierra?

En el polvoriento salón de los monstruos solo estaban Mombo Momia y Amadeo Licántropo.

–Claro, claro –dijo Amadeo Licántropo–. Pero creímos que solo era la carcoma.

–¡Pues haced algo! –imploró Max–. ¡Allí! –y señaló la fina y reluciente hoja de sierra que salía y entraba rítmicamente, despidiendo astillas que caían al suelo.

–¡Enseguida lo arreglamos! –Mombo Momia se quitó las gafas y dos rayos verdes llegaron hasta la brillante hoja de acero. Pero esta vez no dio resultado su mal de ojo. Los rayos se reflejaron como en un espejo y salieron silbando hacia arriba, donde acertaron a una araña de cristal que, al momento, cayó estrepitosamente al suelo. Asustados por el follón, los demás habitantes del tren fantasma verde acudieron en tropel.

–¿Qué ocurre? –preguntaron.

Max señaló en silencio a la sierra, que hacía un ruido de carraca.

–¿Quién... quién quiere entrar? –preguntó atemorizada Nesina.

–Eso da lo mismo, señorita Nesina. ¡Lo principal es que los desconocidos no logren acceder a nuestros dominios! –opinó Frankesteinete.

Sin más, Lucila fue a morder la sierra, pero Frankesteinete la contuvo.

–No, las huellas de los mordiscos despertarían la curiosidad de los allanadores. Además, corre usted peligro de lastimarse la boca.

Draculín reflexionó un poco y dijo:

–Tengo por ahí unas viejas tenazas. Mi bisabuelo arrancaba con ellas las muelas picadas a los demás vampiros. ¡Si por lo menos supiera dónde se encuentran!

El vampiro empezó a buscar y, por vez primera, Max reparó en que aquel recinto estaba amueblado.

Vio taburetes polvorientos, una butaca, un sillón de cuyo asiento salían afilados clavos, dos ataúdes que servían de armarios y varios baúles.

De pronto, el vampiro sacó un bolso muy moderno de un ataúd.

–¿Es de alguno de vosotros? –preguntó.

Los monstruos respondieron negativamente. Draculín abrió el bolso y miró su interior.

–¡Por el colmillo podrido de Drácula! –jadeó–. ¡Mirad esto! –y metiendo en el bolso sus blancos dedos, sacó gruesos fardos de billetes de banco... ¡de los grandes!

–¿Cómo ha venido a parar aquí tanto dinero? –preguntó Nesina con asombro.

Draculín lo contó con sus afiladas uñas.

–¡Son sesenta mil euros! ¡Con esto podemos comprar seis veces el tren fantasma!

–¡Cinco veces! –le corrigió enseguida Frankesteinete–. Pero ¿cómo habrá llegado aquí el dinero?

Max empezó a vislumbrar quiénes eran aquellos hombres. ¿No había hablado su madre hacía poco del atraco a un banco?

100
100 EURO
100 EURO

UNA DIFÍCIL DECISIÓN

–¡Es el botín del atraco a un banco!
–les advirtió Max.

–¿Qué? –los monstruos no le creían.

–Sí, y esos dos hombres son ladrones.

A pesar de sus cuatro cerebros, Frankesteinete no entendía una palabra.

–¿Acaso quiere usted decir que uno de nosotros es cómplice de unos ladrones?

Max sacudió la cabeza.

–No, no, esos bandidos solo han escondido su botín en vuestra casa. ¡La primera vez que vine al tren fantasma, había estado aquí alguien más!

Lucila movió vehementemente la cabeza.

–Cierto, oímos a alguien, pero no lo vimos. ¡Cuando llegamos, ya se había ido!

Para Max, todo estaba claro.

–Tuvieron que ser los atracadores.

Amadeo Licántropo se frotó con avidez sus peludas zarpas.

–Lo mejor es que tomemos el dinero, digamos que como donación, y compremos con él el tren fantasma.

Max no estuvo de acuerdo.

–Eso no podéis hacerlo. Es dinero sucio.

Mombo Momia opinaba de otro modo:

–¡Pues yo veo que está bien limpio! ¡Además, lo hemos encontrado, no robado!

Entre los monstruos estalló una fuerte discusión. ¿Debían o no debían quedarse con el dinero robado?

Mombo Momia, Amadeo Licántropo y Lucila estaban a favor; los demás, en contra.

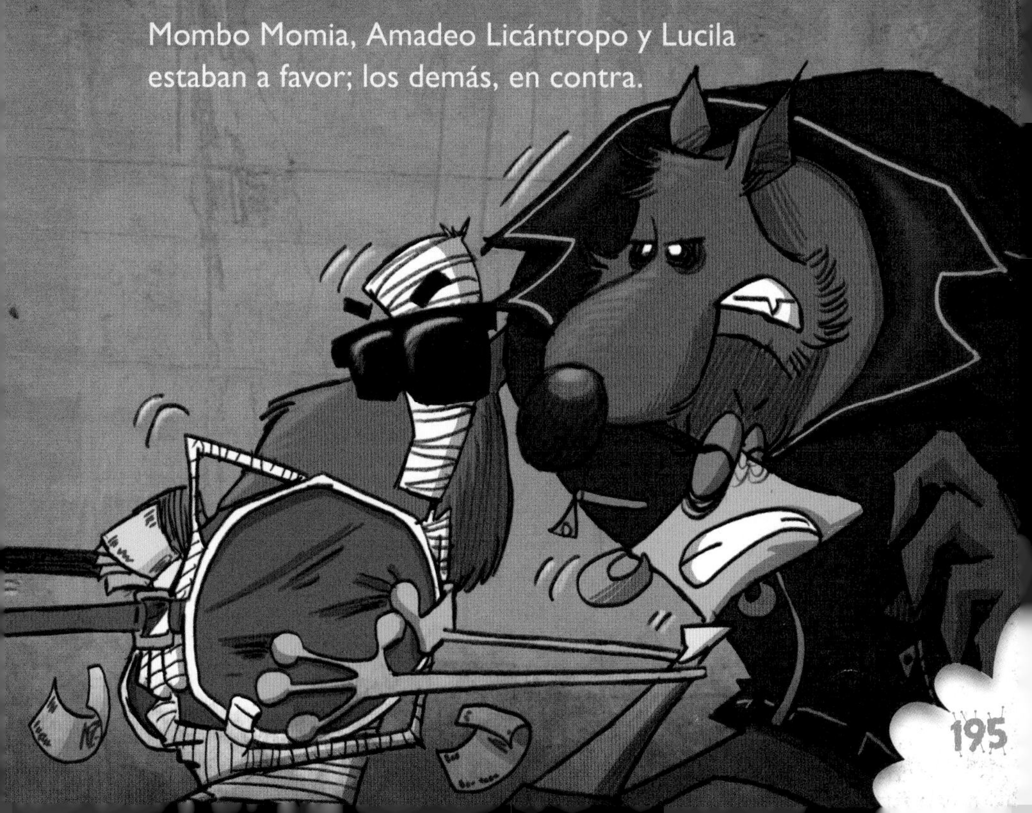

A sus espaldas hubo un crujido y volaron astillas. Una parte de la verde pared de madera se desplomó en el salón de los monstruos, dejando entrar una fría corriente de aire. Los monstruos se quedaron mirando a la pequeña figura, negra y regordeta, vestida de cuero, que penetró a gatas por la abertura. La avaricia les había hecho olvidar totalmente a los indeseables visitantes.

Max fue a cubrirse detrás de una butaca. El atracador se levantó. «¡Enseguida verá a los monstruos y se irá pegando gritos!», esperaba Max. Pero no fue así. El hombre, que seguía llevando el casco de protección y gafas oscuras, levantó la cabeza y miró de un monstruo a otro.

–¿Qué se celebra aquí? ¿Una fiesta de disfraces o qué? –preguntó secamente. Cuando notó que Draculín tenía el bolso en las manos, se inquietó–. Ajá, ya veo que habéis encontrado lo que andamos buscando. ¿Cómo os habéis encerrado tan bien, so graciosos? ¿Tenéis miedo de que alguien descubra esta maldita mascarada, o qué?… ¡Hace unos días me dejé aquí olvidado ese bolso, y solo quiero recuperarlo! –y se dirigió con aplomo hacia el vampiro.

Draculín apretó fuerte el bolso contra sí.

–No –dijo desafiante.

–¿Qué significa eso? ¿Quieres pelea? –gruñó el hombre.

Desde atrás, Amadeo Licántropo avanzó hacia él dejando ver sobre los labios sus afilados colmillos.

–¡Aquí hay otro que sí quiere pelea!
–le dijo en un soplo de voz, echándole en la cara su fétido aliento.

El ladrón trató de mantener la calma.

–¡A mí no me impresionas!

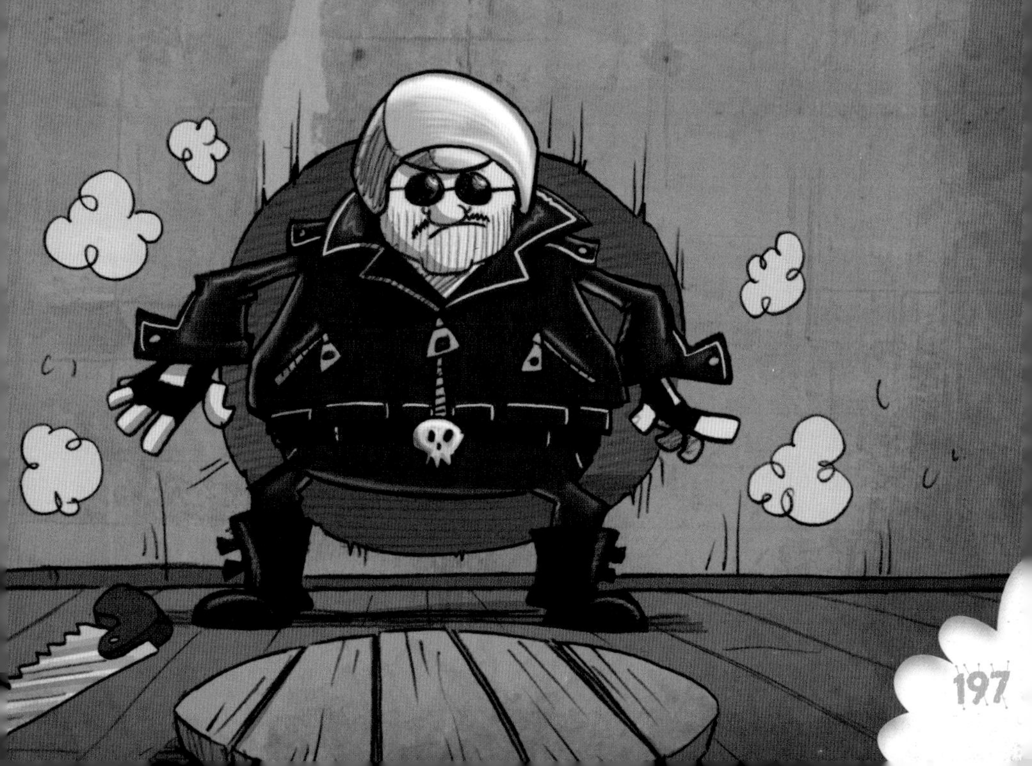

–Ah, ¿no? ¿Y si te chupo un poco la sangre?
–inquirió Draculín.

Entonces Zerbi también se acercó
y se relamió de gusto los morros.

Poco a poco, a aquel granuja le fue invadiendo
una incómoda sensación. Al instante,
Amadeo Licántropo, Draculín y Zerbi lo agarraron
con sus tres cabezas. El hombre estaba inmovilizado.
Cada intento de librarse de aquella presa
le hacía notar un colmillo afilado. Los monstruos
mordían cada vez más fuerte.

–Ahora te vas a largar, y no vuelvas más por aquí,
¿entendido? –le silbó la voz de Mombo Momia.

Max salió a cuatro patas de su escondite y fue hacia sus amigos.

–¡Lo habéis hecho fantástico! –los elogió–. Pero no podéis dejar que se vaya; tenemos que entregarlo a la policía. ¡Y el botín también!

El vampiro, el licántropo y el cancerbero gruñeron al unísono.

–¡El dinero nos lo quedamos!

–Vosotros hacedlo –silbó la voz del bandido–, que entonces os echo a toda la policía encima.

Max se asustó. Solo faltaría eso.

–La policía no debe encontraros. Si no, toda la ciudad se enterará de que vivís aquí y saldrá en todos los periódicos –los previno–. Por favor, renunciad al dinero y entregad a este tipo para que lo metan entre rejas. ¡No queda otra posibilidad!

Los monstruos accedieron a regañadientes. Aunque les costó mucho, pero que mucho.

–¡Bien! –dijo Max respirando aliviado–. ¡Pues en marcha hacia la cabina telefónica más cercana!

–¡De eso nada, chicos!

Todas las cabezas se volvieron asustadas en dirección a la trampilla. Un hombre subía lentamente por ella. También llevaba un traje de cuero y un casco de protección, pero era muy delgado.

–Es el cómplice –susurró Max.

–¡Exacto, listillo! –le elogió el granuja–. Creísteis que no íbamos a descubrir la entrada secreta, ¿eh? Pero os habéis equivocado. En adelante, cerrad con suavidad la tapa de la alcantarilla.

Sacó la pistola del cinto y les apuntó con ella.

–Y ahora no solo nos vamos a llevar nuestro dinero –amenazó–, sino que también nos va a acompañar este sinvergüencilla para que ni se os ocurra seguirnos ni llaméis a la policía. ¡Y ahora soltad a mi colega!

Obedientes, Draculín, Zerbi y Amadeo Licántropo se apartaron de él. El nuevo bandido agarró la bolsa del dinero y examinó a los monstruos con la mirada.

–¡Eh, Willi...! Vaya pájaros raros son estos... Quiero decir... ¡que parecen de verdad! –dijo. Willi movió inseguro la cabeza, afirmando.

A Max se le erizaron todos los pelos. Pudo sentir cómo el poderoso brazo del atracador lo agarraba por detrás y le apresaba el cuello.

–¡Ven conmigo, y nada de juegos! –silbó amenazante el hombre. El otro sostenía la pistola mientras se abría paso entre los monstruos paralizados.

–Por favor, haced algo –suplicaba Max con voz entrecortada. Pero sus amigos parecían haberse petrificado.

TÚ SÍ QUE SABES MORDER

El bandido pasó junto a Frankesteinete,
Boris (que temblequeaba), Nesina y Mombo Momia.
Dejó atrás a Amadeo Licántropo y llegó a la altura
de Lucila, que parecía una estatua verde.

–Hay que ver, ¿eh, Willi?, de lo que es capaz
una pipa bien empuñada –dijo entre risas malvadas.

Max no se atrevía a moverse. Solo notó que el atracador aflojaba un poco su presa, de modo que la piel descubierta de su muñeca le tocaba el cuello. El bandido llevaba guantes.

–¡Bueno, pues hasta la v...! –mas no llegó a terminar su despedida. Rápida como un rayo y sin preaviso, Lucila le había arrebatado valientemente la pistola. La masticó con muchas ganas. Con los ojos abiertos como platos, el hombre tuvo que contemplar cómo el monstruo marino trituraba aquel pesado metal como si se tratara de mantequilla y... se lo tragaba.

Max, envalentonado con el ejemplo de Lucila, mordió con fuerza el pequeño trozo de piel descubierta. El gordo, con un grito de dolor, levantó los brazos de golpe y Max se liberó. El atracador dejó caer el bolso, doblándose de dolor.

Entonces, como a una señal de mando,
todos los monstruos saltaron sobre los bandidos
y los sujetaron férreamente. Amadeo Licántropo
sacó de un baúl unas cadenas y ató a aquellos hombres.
Juntos, los monstruos tiraron de los granujas con su botín
hasta la calle y los arrastraron hasta la cabina telefónica
junto a los caballitos. Max llamó a la policía.

Antes de regresar al tren fantasma, los monstruos
volvieron a mirar con melancolía el bolso del dinero.

–¡También nosotros ganaremos eso! –dijo Max,
y les indicó que se dieran prisa. Ya se oían a lo lejos
las sirenas de los furgones policiales–. ¡Los policías
no se lo van a creer cuando encuentren el regalo
de los dos atracadores tan bien ataditos! –rió Max.

Cuando llegaron al hogar de los monstruos, Amadeo Licántropo clavó enseguida unos maderos en la abertura de la pared y le dijo a Max:

–Chico, una cosa tenemos que reconocer: ¡tú sí que sabes morder!

Draculín se acercó a él y dijo:

–A lo mejor con el tiempo llegas a ser un buen vampiro. ¡Yo podría ayudarte un poco para conseguirlo!

Max rehusó, asustado.

–¡En todo caso, somos amigos de verdad! Tú nos has salvado, y nosotros a ti. ¡Qué romántico me parece! –dijo Lucila con su voz meliflua.

Por el momento, Max no pensaba regresar a casa. Primero se tenía que reponer del susto.

Además, los monstruos decidieron organizar una fiesta

–¡Aún me queda un poco de comida que se mueve! –exclamó orgullosa Nesina.

–¡Y yo haré agua mineral fresca con mi exprimidor! –anunció Boris, poniéndose a estrujar un adoquín en sus gigantescas manos.

–Y yo... ¡prepararé un flan de tuercas nuevas! –exclamó Lucila.

A Nesina le apetecían «espaguetis al lago Ness», que consistían en gusanos vivos. A Boris le dieron, para festejar el día, una batería nueva.

Fue una animada fiesta en la que Max, aunque no quiso comer nada, aprendió con Draculín el baile del vampiro, y Amadeo Licántropo le regaló una apestosa cadena de dientes de hombre lobo.

–¡Algunos hasta tienen manchas de sangre, y en las noches de luna llena, se entrechocan y suenan!

«¡Es el regalo de cumpleaños apropiado para Dola!», pensó Max con maliciosa sonrisa.

Los tres días anteriores le habían agotado. Necesitaba urgentemente tomarse un respiro. Y eso que sabía que las emociones y las aventuras no habían hecho más que empezar.

¿Qué pasaría cuando Karla Kätscher regresara de Escocia?

¿Funcionaría realmente la idea de alquilar los monstruos?

¿Se vengaría Dola de él?

¿Conseguirían los monstruos ganar el dinero suficiente para comprar el tren fantasma?

Preguntas y más preguntas. Sin embargo, ya llegarían las respuestas. Pero, por lo pronto, se dejó agasajar por los monstruos y pensó orgulloso: «¡Todos estos son mis monstruos! ¡Mis amigos monstruos!
¡Y los quiero monstruosamente!
¡Mis queridos monstruos!».

Lucila

Edad
33 años.
Peculiaridades
Pude cambiar de color como un camaleón y es muy vanidosa.
Le disgusta
Los ruidos y las personas ruidosas.
Le gusta
Las llaves inglesas y los picaportes de las puertas. Son su alimento preferido.

Frankesteinete

Hermano menor del doctor Frankenstei

Edad
Fue construido en el año 1877.
Peculiaridades
Habla con distinción y trata a todo el mun de usted. Hace las cuentas con más rapide que cualquier calculadora de bolsillo.
Le disgusta
Los maestros y las escuelas.
Le gusta
Los cementerios.

Boris

El primer monstruo de Frankenstein

Edad
La cabeza, 144 años; los brazos y las piernas, 143; el tronco, 142, y el cerebro, 102 (tuvieron que cambiárselo una vez).
Peculiaridades
Tiene nariz y orejas de un perro y puede encender bombillas con las manos. Pero a veces falla el contacto.
Le disgusta
El agua, por peligro de cortocircuito.
Le gusta
La corriente eléctrica.